Der Haken, Texte über Design von Andreas Brandolini

mit Fotos von Eva Maria Ocherbauer

Herausgeber und Verlag Martin Schmitz

CIP - Kurztitelaufnahme der Deutschen Bibliothek

Brandolini, Andreas:
Der Haken, Texte über Design/von Andreas Brandolini.-
Kassel : Schmitz, 1990
ISBN 3-927795-01-1

© Verlag Martin Schmitz
Layout: Rolf Schepelmann
Druck: Grafische Werkstatt seit 1980 GmbH, Kassel
Vertrieb: Extent Verlag/Service, Berlin

Vorwort

Der Name Brandolini hat einen Haken. Andreas Brandolini wurde 1951 in Taucha bei Leipzig geboren. Sein Urgroßvater verließ als Steinmetz unter seinem Geburtsnamen Brandolin das Heimatland Italien und ging auf Wanderschaft in Richtung Berlin und St.Petersburg. Als dessen Sohn den italienischen Paß im Alter von 20 Jahren gegen ein deutsches Dokument eintauschte, wurde aus Brandolin - aus welchem Grund auch immer - Brandolini. Das ist der Haken an der Sache mit dem Namen.

Aber vielleicht dachten Sie angesichts dieses Buchtitels und seines Verfassers an italienisches Möbeldesign oder an einen einfachen Wandhaken für Mäntel und Handtücher. Das ist ja auch vorstellbar, denn Haken können sichtbar oder unsichtbar sein: Der eine ist an der Wand befestigt - ein Objekt - , der andere befindet sich in unseren Köpfen. Als Gestalter beschäftigt sich Andreas Brandolini mit beiden; welche Haken bringt der Entwurf eines Hakens mit sich? Oder umgekehrt.

Andreas Brandolini studierte von 1973 bis 1979 Architektur an der Technischen Hochschule in Berlin (West). Seit 1981 ist er dort als Industriedesigner und Architekt freiberuflich tätig. Seine Arbeiten waren auf der 8. documenta 1987 in Kassel und auf der Biennale in Sao Paulo zu sehen. In Singapur entwickelte der Designer eine Messearchitektur zur Präsentation westdeutscher Industrieproduktionen und im tiefsten Kreuzberger Winter 1986 veranstaltet der Designer zusammen mit Eva Maria Ocherbauer einen österreichischen Skihüttenabend in der Galerie Eisenbahnstrasse, Berlin.

Es ist ja nicht nur das Sichtbare und Greifbare, was unsere Lebensbedingungen bestimmt. Die Schule des unsichtbaren Designs hat uns in den 80er Jahren durch Lucius Burckhardt die Bedeutung und den Entwurfscharakter des Immateriellen

gelehrt: Da gibt es Gesetze und Normen, Fahrpläne und Stech-
uhren, Regeln, die alle menschgemacht, aber unsichtbar sind.

Parallel zu seiner praktischen Arbeit war Andreas Brandolini
Lehrbeauftragter, Gastdozent und -Professor an verschiedenen
Hochschulen. Im Herbst 1989 nahm er seine Lehrtätigkeit als
Professor an der neuen Kunstakademie in Saarbrücken auf.

Das Buch, welches Sie gerade in den Händen halten, präsentiert eine Sammlung von Texten in chronologischer Reihenfol-
ge, die der Architekt und Designer in den letzten zehn Jahren
geschrieben und teilweise veröffentlicht hat.

Dieses Buch erscheint zeitgleich zur Ausstellung „Arbeiten in
Holz" von Andreas Brandolini in der Galerie Martin Schmitz in
Kassel. Die Arbeitsweise dieses Designers gleicht der eines
Künstlers, denn jedes Objekt reflektiert die Zeit, in der wir le-
ben, wie wir die Gegenstände benutzen und lieben, unter wel-
chen Bedingungen sie existieren und entstehen.

Allen, die an diesem Buch mitgeholfen und es unterstützt haben
- vielen Dank!

Martin Schmitz, Kassel im Januar 1990

Inhalt

eins, zwei, drei Eierbecher

Wintersemester 81/82. Jetzt machen wir mal was ganz Einfaches, probieren an einem niederkomplexen Gegenstand alles aus, was uns dazu einfällt.

Beim Frühstücken wird der Eierbecher zum Gesprächs-Thema, später zu unserem neuen Entwurfsgegenstand:

Was ist uns der Eierbecher?

Nur auf eine Funktion, dem Halten des Ei's, beschränkt, eröffnen sich uns andere Fragen, wird Weiteres wichtig.

Wie war das eigentlich? Wann in der Geschichte taucht der Eierbecher zum ersten Mal auf? Wo? ...und bei wem? ...bei welcher gesellschaftlichen Gruppe? Welcher Stellenwert wird ihm zugewiesen? Welches Gesellschaftsspiel ist mit ihm verbunden? Man denkt zum Beispiel an die Handlungsreisenden, die am Frühstückstisch, in der Pension, kunstvoll das weichgekochte Ei „köpfen". Und wehe einer kleckert! Ja, überhaupt, das Kleckern! Prüfstein unserer Gesellschaftsfähigkeit. Da wird der Eierbecher zum Altar, Opferstein oder Richtstätte. Da denkt man doch gleich ganz anders drüber nach, wenn man sich das mal bewußt macht, da bekommt Funktion eine andere Dimension.

Und formal kann's dann ganz schön losgehen!

Man fängt symbolisch an, wählt Abbilder gemeinter Assoziationen oder Vergleiche, den Tempel oder die Schlange z.B. oder der Tisch auf dem Tisch.

Aber da ist doch der eine Aspekt, der uns am meisten beschäftigte; diese eine Funktion des Haltens. Wie halte ich das Ei?

Columbus hat das zwar schon mal, anscheinend endgültig, gelöst, aber darum ging es uns gar nicht. Wir wollen nicht die einzige, endgültige Lösung, sondern eins, zwei, drei...viele Lösungen. Und genau hier verlassen wir - lachend - die Pfade des

„funktionalistischen" Industriedesigns, das uns ständig mit seinem „reinen", „sauberen", „ergonomischen", und „funktionsgerechten" Lösungen die Freude am Entwerfen verdirbt. Das uns mit seinen nivellierten Formen und Oberflächen anödet, unsere Umwelt zur Wüste macht und auf seiner stinkenden Schleifspur nichts als leergebrannte Gehirne hinterläßt.

Hilfe!!!

Wir haben das mal ganz anders gemacht. Wir haben uns benommen wie im Kindergarten.

Hier hast du weißes Papier und viele, viele Buntstifte. Oder: heute wird gebastelt. Hier hast du Strohhalme, bunte Glasstükke, Engelshaar, Glitzerndes und Stumpfes. Jetzt, Fantasie, renn los und zeig, ob du dich in einem Designerhirn behaupten kannst. Es gibt niemanden, der dir Grenzen setzt. Es sei denn, du selbst.

Halt! Halt! Moment mal!

Das soll nicht heißen, daß wir Ergebnisse nicht diskutieren wollen, daß wir uns nicht fragen ob Rot mit Grün oder Grün mit Blau!

Aber die Antworten, die kommen aus unseren Herzen!!

eins, zwei, drei Eierbecher, Hochschule der Künste, ID IV, Fb.3, Berlin 1982

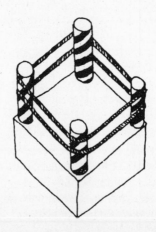

Küchen?

Die Entwicklung der Küche zu ihrem heutigen Stand, hat seit den 20er Jahren unseres Jahrhunderts räumlich und funktionell fast keine Veränderung erfahren. Vor dem Hintergrund sich auflösender Familienstrukturen und Wohngewohnheiten, haben technische Möglichkeiten auf der einen, akute Wohnraumnot auf der anderen Seite die Fixpunkte bestimmt. Genau ausgeklügelte Pläne zur Ausnutzung menschlicher Arbeitsgänge, in Verbindung mit der Minimalisierung der Wohnungsgrundrisse, führte auch zur Nivellierung des Designs, d.h. der formalen Angleichung der Gegenstände: so stehen wir heute vor stummen Fronten.

Kühlschrank, Herd, Waschmaschine, Spülmaschine...

Alles verschwindet unter glatten, hygienischen Flächen, übrig bleibt der sterile Arbeitsplatz, und unter dem Motto „Humanisierung der Arbeitswelt" streut dann „Pril" frische Blümchen ins Haus. Das freche Orange versucht sich heiter, „edle" Holzfurniere schaffen Gemütlichkeit und Erinnerung an eine nebulöse Vergangenheit, und morgen werden, lachend wieder, die schrillen Farben „im Stil der neuen Zeit" ihren Einzug halten.

Die Küche selbst indes erstarrt in ihrer Aussagelosigkeit, bleibt weiter nur Legitimation verzweifelter Putzorgien, Alibi panischer Konsumattacken, ewiger Anlass weiterer Arbeit, weiterer Investitionen. Zunächst Rationalisierung der Nahrungszubereitung, entsteht ein Konsumgut-Umschlagplatz: Maschinisierung der Haushaltsarbeit als Wirtschaftsfaktor. Die moderne Hausfrau braucht dies und das, und vor allem immer was Neues. Die Maschinenwelt der Küche verselbständigt sich, ist ständig Anlass weiterer Arbeit, weiterer Investition. Die Fruchtpresse schreit nach Nahrung.

Und jetzt kommt auch noch Elektronik. Mikroprozessorengesteuerte Bratendämpfe erfüllen den Raum.

Doch was, bitteschön, heißt heute „Kochen"?

Versprach einst die Einladung zum Essen Feinstes aus Profitöpfen, den Gang ins Restaurant, Spezialitäten und regionale Besonderheiten, glänzt heute der Gastgeber durch umfassende Kenntnisse kulturübergreifender, jahrhundertewährender Nahrungsmittelzubereitung, weiß durch hochsensible Geschmacksnuancierung zu gefallen. - Das einst Alltägliche gerinnt zur Zelebration, zur Beschwörung entschwundener Normalität. Das Besondere wird zum Normalen und das Normale zur Sensation. Oder mal so gesehen:

Ist der allein lebende Bankangestellte (Single) gleich zu betrachten wie die Hausfrau und dreifache Mutter? Ist der von Termin zu Termin hetzende Manager - oder Quatsch! - was ist mit dem Schichtarbeiter? Bedürfen die 10-minütigen Aufenthalte morgens oder abends am Herd ein eigenes Zimmer? Kann er sich das denn leisten? Das mal volkswirtschaftlich gesehen, diese vielen verschenkten Quadratmeter, und das bei der Wohnungsnot großer Städte!

Oder mal den Fall (zumindest bei Gastarbeiterfamilien sehr häufig): Mamma, Papa, Oma und vier - fünf Kinder. Wo, zum Teufel, sollen die denn auf 10 Quadratmetern Platz finden? Wo passen denn da die großen Töpfe hin?

Und wieso sieht deren Küche genauso aus wie meine, obwohl ich nie koche? Wieso habe ich den gleichen Herd, Kühlschrank, ...?

Der normale Alltag sieht doch meist so aus: Morgens das schnelle karge Frühstück, „Sie verstehen - mein Magen!", Mittags der Gang ins Restaurant, Mensa, Schnellimbiß, der Schokoriegel für Zwischendurch und die Vitaminpille zur Stärkung unserer Abwehrkräfte, und abends „kalt" - oder sollen wir ausgehen?

Unsere Küchen sind in Jahrzehnte alten Konzepten erstarrt. Konnte man einst noch mit der Küche für das Existenzminimum einen gesellschaftlichen Strich ziehen, sozusagen eine für alle gültige Minimalausstattung als Designaufgabe ins Auge fassen, ist unsere heutige Situation komplexer, stellen sich Probleme sehr unterschiedlicher Art. „Sag mir wie Du lebst und ich sage Dir welchen Herd Du brauchst."

Fangen wir noch mal von vorne an!

Die Wohnung eine große Fläche - kein Halt für die Schrankwand. Die Feuerstelle sucht sich ihren Platz. Jeden Tag!

Nachfrage bestimmt Standort und Größe.

Text zusammen mit Wolfgang Sattler zu einem Küchenseminar an der Hochschule für Künste, Berlin, im Sommersemester 1982

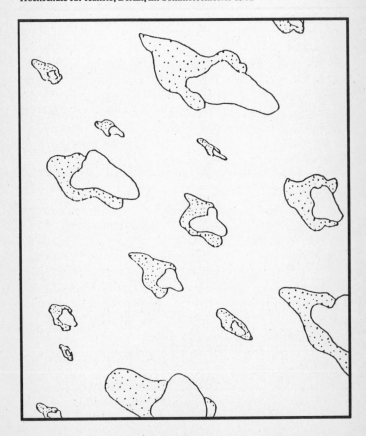

Ins Volle geplappert

„Es gibt kein anderes Material als das, was allen zugänglich ist und womit jeder alltäglich umgeht, was man aufnimmt, wenn man aus dem Fenster guckt, auf der Straße steht, an einem Schaufenster vorbeigeht, Knöpfe, Knöpfe, was man gebraucht, woran man denkt und sich erinnert, alles ganz gewöhnlich, Filmbilder, Reklamebilder, Sätze aus irgendeiner Lektüre oder aus zurückliegenden Gesprächen, Meinungen, Gefasel, Ketchup, eine Schlagermelodie, die bestimmte Eindrücke neu in einem entstehen läßt, z. B. wie jemand seinen Stock schwingt und dann zuschlägt, Zeilen, Bilder, Vorgänge, die dicke Suppe, die wem auf das Hemd tropft." *(R. D. Brinkmann)*

*

Die Medienwelt und die Piloten. Auf unserer Erdumlaufbahn betrachten wir aufmerksam was „da unten" so passiert und versuchen den Sinn all der Bewegungen und Manifestationen zu ergründen. Eine Stadt ist nicht „eine Stadt", sondern eine Konglomeration ähnlicher Lebewesen. Ständig in Bewegung sich befindliche Punkte, miteinander, gegeneinander, durcheinander... und trotz aller Zusammenstösse doch eine gemeinsame Erscheinung, ein Bild - von oben.

Ein Stuhl, aus angemessener Distanz betrachtet, ist nicht ein Stuhl, sondern eine Fläche ca. 45 cm über einem Bezugsniveau. Wie kommt die da hin? Wieso sieht die so aus, und die so?

Was sind das für Behälter, die Ihr „Schränke" nennt?

Was sind das für Zeichen an Euren Wohnzimmerwänden?

Von was wird da berichtet?

Wir berichten von grossen Maschinen, die uns erschaffen haben, Zeichen für Zeichen, exakt, ohne Fehler... und wir beherrschen den grossen „Markt".

*

„Wir sind wie Autos. Wir trinken wie Autos, laufen schnell wie

Autos, haben keine Zeit mehr, „Guten Tag" oder „Auf Wieder-
sehen" zu sagen. Wir sind wie das Kaninchen von Alice:
schnell, schnell, schnell... wir kommen immer zu spät, auch
wenn wir zu früh kommen... (Valérie, 9 Jahre).

Es gilt jetzt, die Repression der Animalität des Menschen zu
analysieren, den Gebrauch des Körpers in der Stadt zu untersu-
chen; entgegen der geläufigen Ansicht ist nämlich die Stadt
nicht der Ort ungeheurer physischer, sondern der nervöser Aktivitäten. Zum einen werden im Raum der Stadt die Aktivitäten
des Körpers zunehmend abgebremst und durch die technischer
Prothesen, Fahrstühle, Rollbänder, Rolltreppen, Automobile er-
setzt... Zum anderen beschleunigt sich die Verknappung von
Zwischenräumen im Gewebe der Stadt wie im Inneren der Gebäude: Schmälerung der Bürgersteige, der Wohnungen, der
Zimmerhöhe... Ganz zu schweigen von sich ständig mehrenden
Verboten, die den Städter betreffen und ganz legal seine ihm
noch verbliebene Bewegungsfreiheit einfrieren." *(P. Virilio)*

*

Jeder Vorgang ist uns ein Mysterium. Wo sind wir, wenn wir
schlafen? Was macht der Stuhl im Schlafzimmer?

Was ist telefonieren?

Am Telefon verliert die Entfernung seine Bedeutung. Sie
schrumpft zur Empfänger-Sendestation. Es spielt keine Rolle,
ob man sich in Hamburg, London, Köln oder Paris befindet.
Einzig das Rauschen der Leitung, oder das Ticken des Gebüh-
renzählers erinnert uns an unsere räumliche Distanz.

Beim Telefonieren wird die Örtlichkeit zu einem Raum im
Innern des Sprechenden, die Welt in eine Imaginäre verwan-
delt. Das Leben wird Fiktion. Und da sitze ich nun mit diesem
grauen oder roten oder sonstwas Plastikkästchen und wundere
mich, was dies mit all dem zu tun hat.

Alles ist uns neu, stets fangen wir bei Null an.

*

„Heute Nacht habe ich geträumt, ich sei ein Schmetterling. Woher weiß ich jetzt, ob ich ein Mensch bin, der glaubt, daß er

träumte ein Schmetterling zu sein, oder ob ich ein Schmetterling bin, der jetzt träumt, er sei ein Mensch?" *(Tschuang-Tse, 300 v. Chr.)*

*

Unter Comic-Zeichnern hat sich in den letzten Jahren das Interesse von der Story weg zu den Enviroments verschoben. Die Geschichte dient nur noch als Rahmen für ihre fantastischen Szenarios, in denen eine expressive Formulierung der Umgebung stattfindet. Möblierungen, städtische und sonstige Aussenräume bilden den Ausgangspunkt von Ereignissen. Ihr Formenrepertoire beziehen sie meist aus Art-Deco, fünfziger Jahre gemischt mit zeitlosen Sience-Fiction-Fantasien durch die durcheinanderwirbelnde Zentrifuge der späten siebziger Jahre aufs Blatt geschleudert. Alles ist möglich. Umgebung, Möbel als öffentliche Manifestation Transit-Reisender. Das internationale Klischee des interessanten Lebens findet seine Heimat in Gegenständen, Asseccoires, Kleidung, Haartracht.

Die Rakete, das Flugzeug, Eisenbahn, Schiff oder das Auto sind die Bühnen der Handlung. Ein Leben auf dem Laufsteg der Verkehrsmittel.

*

„Äußeres - Inneres. Die Straße kann durch die Fensterscheibe beobachtet werden, wobei ihre Laute vermindert, ihre Bewegungen phantomartig sind und sie selbst durch die durchsichtige, aber feste und harte Scheibe als ein abgetrenntes, im «Jenseits» pulsierendes Wesen erscheint.

Oder es wird die Tür geöffnet: man tritt aus der Abgeschlossenheit heraus, vertieft sich in dieses Wesen, wird darin aktiv und erlebt die Pulsierung mit allen seinen Sinnen. Die sich fortwährend wechselnden Tongrade und Tempi der Laute wickeln sich um den Menschen, steigen wirbelartig und fallen plötzlich erlahmt. Die Bewegungen wickeln sich ebenso um den Menschen herum - ein Spiel von horizontalen, vertikalen Strichen und Linien, die sich durch die Bewegung nach verschiedenen Richtungen neigen, von sich aufhäufenden und sich zerstreuenden Farbflecken, die bald hoch, bald tief klingen." *(Kandinsky)*

*

Gebrauchsgegenstände, materieller oder immaterieller Art, sind uns wie Menschen. Es gibt dem „dedicated-follower-of-Fashion", den Spießer, Konservativen, Liberalen usw... Haften bleibt uns immer der ausgeprägte Charakter - welcher Couleur auch immer.

*

„Jedem Menschen ist ja das mitgegeben, was ihn zum Ebenbild Gottes macht: der schöpferische Drang, sich die Welt noch einmal aufzubauen. Wer das tun will, muß aber zuerst bei sich und in sich anfangen. Der Costümwechsel tut's nicht. Die Menschen selbst müßten anders werden. Es geht in die Einsamkeit, um in sich selbst einzukehren, das innere Glück zu finden, das unabhängig ist von dem Spiel der Welt, den Sinn dieses Spiels zu erfassen und zu jener höchsten Freiheit zu gelangen, von der der Meister am Anfang spricht." *(Max Reinhardt)*

*

Wo sind wir, wenn wir schlafen? Da steht der örtlichen Begrenzung unserer Liegefläche eine immense mentale Weite gegenüber. Da wird unser Lager zunächst zum Bahnhof, zum Flughafen, Startrampe, dann schrumpft es zusammen zum Fahrzeug, Projektil... und dann: ab geht's!!

Oder wir versinken wie in schwerem Morast, die Erde schließt sich über uns und riesige Gebirge scheinen sich auf uns zu türmen.

Welch Schmerz, welch Schrecken, aber auch welch Glück kann dieser Ort uns sein!

Der Schlaf ist wie eine Reise, die vorbereitet sein will. Der eine reist mit leichtem Handgepäck, der andere verfrachtet seinen Hausstand in einen mobilen Container. Und genau hier verlassen wir - lachend - die Pfade des „funktionalistischen" Industriedesign, das uns ständig mit seinen „reinen", „sauberen", „ergonomischen" und „funktionsgerechten" Lösungen die Freude am Entwerfen verdirbt. Das uns mit seinen nivellierten

Formen und Oberflächen anödet, unsere Umwelt zur Wüste macht und auf seiner stinkenden Schleifspur nichts als leergebrannte Gehirne hinterlässt.

Hilfe!!!

*

„Tragende Merkmale des kunstkulturellen Klimas dieses Jahrzehnts sind zunehmende Stagnation und hilflose Metaspezialisierung. Das Ideal des genialen Helden, der heroischen Akte, wird als anachronistische Ideologie immer offensichtlicher. Die bedeutsamste Aufgabe der M.S.R. ist daher zunächst die Entwicklung neuer Systemstrategien für dauerhaftes, kollektives Arbeiten auf interdisziplinärer Ebene." *(M. Raskin Stichting)*

*

Wir sind nicht „gegen den Funktionalismus" oder gar „gegen das Bauhaus". Ganz im Gegenteil! Denn sie lehren uns jeden Gegenstand - sei er einem bestimmten Zweck dienlich, oder ideell - in seine Bestandteile zu zerlegen, um ihn von seiner Erscheinung bis zu seinem Wesen verstehen zu können. Beschäftigen wir uns heute mit den Lehrbüchern von Moholy-Nagy oder Kandinsky, so liefern sie uns wertvolle Hinweise, unseren Wahrnehmungsapparat zu sensibilisieren.

*

„Töne, Geräusche, Krach, Lärm, Noten, Worte, Instrumente, Stimmen, Nachtigall, Chöre, Soli, Akkorde, Disharmonien, Rauschen, Schreie, Gesang, Sirenen." *(Merve - Verlag)*

*

Ein Greuel allerdings sind uns die Epigonen, die, dankbar fertige Strassen benutzen zu können und sich nicht ständig einer Selbstreflexion oder gar Infragestellung aussetzen zu müssen, mit zwei bis drei Prinzipien ausgerüstet von Projekt zu Projekt ihren „weisen" und geruhsamen Spaziergang tätigen und ihn noch zu allem Übel als den einzig richtigen propagieren; als ob die menschliche Geschichte und ihre Kultur kalkulierbar wäre.

*

„Unsere Musik sind keine Töne mehr, es ist auch nicht wichtig was es für Klänge sind, es ist nur noch wichtig was es ist und noch dazu parteiisch. Die Maschine funktioniert, alle sind wir Geiseln. In einem schalltoten Raum gibt es zwei Töne, einen hohen (das Geräusch des arbeitenden Nervensystems) und einen tiefen (den des pulsierenden Blutes) oder umgekehrt. Wir machen keine Fehler mehr, wir werden nichts bei geschlossenem Fenster wiederholen, schrei dich zu Tode. Das ist mehr als richtig. Venceremos." *(Blixa Bargeld)*

*

Das „zeitlose", „ewige" Design ist ein Produkt der Angst. Wir proklamieren die Unruhe als den Normalzustand, die Rastlosigkeit als Ruhestätte. Liebevoll pflegen wir unsere Neurosen. Freudig begrüssen wir das Eintreffen emotionaler Verwirrungen.

*

„ein jeder Mensch ist begabt. jeder gesunde Mensch hat ein tiefes vermögen, die in seinem mensch-sein begründeten schöpferischen energien zur entfaltung zu bringen, wenn er seine arbeit innerlich bejaht.

ursprünglich ist ein jeder begabt zur aufnahme und erarbeitung von sinneserlebnissen. jeder Mensch ist ton- und farbenempfindlich, tast- und raum-sicher usw. das bedeutet, daß ursprünglich ein jeder Mensch aller freuden der sinneserlebnisse teilhaftig werden kann; das heißt weiter: er kann seinen empfindungen in jedem material form geben (was nicht gleichbedeutend mit „kunst" ist)." *(Moholy-Nagy)*

*

„A:You take some chocolate...and you take two pieces of bread... and you put the candy in the middle and you make a sandwich of it. And that would be cake." *(A. Warhol)*

*

Ein weiteres Greuel ist uns aber auch der clevere Profi-Designer (immer das Ohr am Markt), der, nachdem „Memphis" sich so glänzend auf dem Schlachtfeld der Massenmedien geschlagen hat, nun - mit gewohnt wichtiger Miene - in gequälten

Farb- und Formspielen sein Heil sucht. So á la „uff, gerade nochmal geschafft!" Da geben wir einem deutschen Gralshüter der „guten Form" - oder sollen wir „des guten Geschmacks" sagen? Durchaus recht, wenn er sich vor den Nachahmern fürchtet.

*

„Ich gehe noch weiter: Ich bezeichne „Kunst machen/Künstler sein" als die einzig mögliche zweckmäßige Tätigkeit, die ein Mensch derzeit auf diesem vollkommen lächerlichen Planeten Erde vollziehen kann. das Leben ist sinnlos, die Menschheit macht sich das Leben schwer: Jeder Jedem, Jeder sich selbst. Prost Mahlzeit, alles ist gut. Und dann gibt es diese Typen, die von Kunst faseln und was für einen Sinn ihre Kunst hat und wie wichtig sie und ihre Kunst sind und sie machen nichts anderes als ihren Job und produzieren Bilder, Worte, Filme, Gedanken und Situationen. So komme ich nun dazu zu sagen, daß ich gegen Kunst sei (streicht die Künstlerförderung restlos!), weil ich sehe, daß bei all der Kunst meist eben nur „Kunst" herauskommt." *(padeluum)*

*

„der primitive mensch war in einer person jäger, handwerker, baumeister, arzt usw.: heute beschäftigt man sich - alle anderen fähigkeiten unausgenützt lassend - nur mit einem bestimmten beruf." *(Moholy-Nagy)*

*

Wir sind eine visuell orientierte Gesellschaft. Alles, was uns etwas zu sagen hat, sagt es zuerst für unsere Augen.

Das Image, über das sich eine Aussage vermittelt, ist genauso wichtig wie sie selbst. Es gibt ein Bedürfnis zur Vergegenständlichung immaterieller Tatsachen.

*

„»Kommst du mit, Miester?« Einen großen Fluß mit Gezeiten aufwärts bis zur Hafenstadt, die in Wasserhyazinthen und Bananenflößen festsitzt - Die Stadt ist eine verwickelte Konstruktion aus gespaltenem Bambus, an manchen Stellen sechs Stockwerke hoch, die auf die Straße überhängen und von Balken, Eisenbahngleisabschnitten und Zementsäulen gestützt werden, eine Arkade gegen den warmen Regen, der in halbstündigen Intervallen fällt - Die Küstenleute treiben durch die warme dampfende Nacht, essen farbiges Eis unter Bogenlampen und unterhalten sich mit langsamen, katatonischen Gesten, die durch unbewegliche Stille betont werden - Klagende Jungenschreie treiben durch die Nacht der wandernden Ballspieler:

»Paco! - Joselito! - Enrique!«

»A ver Luckeees!«

»Wohin gehen Miester?«

»Zusammengequetschte Köpfe?«" *(W.S. Burroughs)*

*

Gemütlichkeit, Plüsch und Schund, Reklame, Micky Mouse und Illustrierte, Fernsehen und Bild-Zeitung. Wir haben dem Charakter unserer (Massen-) Kulturträger immer nur als Nicht-Kultur vermittelt bekommen. Und trotzdem sind wir mit ihnen aufgewachsen. Und immer waren sie kräftiger als das, was man uns in unseren Kulturinstitutionen einzutrichtern versuchte. Welch Schizzophrenie! Eine Kultur mit zwei Gesichtern. Werktag - Sonntag?

*

„Eine sozialtechnische Phase wird darin bestehen, daß Musiker spielen, die sonst nicht zusammenpassen, oder einer spielt, der ziemlich unmöglich für die betreffende Aufnahme wäre. Ich versuche die Musiker zu bewegen ihren Stil beizubehalten, so daß sie beim Spiel auseinanderdriften. Dadurch entsteht sowas wie ein Raum in der Musik, wo ich operieren kann und versuche, das alles zu verschmelzen." *(Brian Eno)*

*

Dem funktionalistischem Industriedesign geht es um die Eliminierung der Gegenstände. Perfektionierung der Oberflächen. Angleichung. Internationale Normierung. Philosophie des Verschwindens.

Revolutionäres Design stellt den Gegenstand in Frage oder

ins Zentrum. Design als politische Arbeit für das internationale psychische Proletariat.

*

„Der Designer als Arzt am Totenbett der Ware?" *(H. Farocki)*

*

Das Wort versagt. Theorie als Assoziation. Das Leben als Bild. Greif die Liane, Jane!

*

„B: I wanted to make a film that showed how sad and lyrical it is for those two old ladies to be living in those rooms full of newspapers and cats.
A: You shouldn't make it sad. You should just say. „This is how people today are doing things." *(A. Warhol)*

*

„»Wenn du gehst«, sagt ein Zen-Meister, »dann bescheide dich mit dem Gehen. Wenn du sitzt, dann bescheide dich mit dem Sitzen. Aber vor allem zögere nicht!« Und genau dies scheint mir auf seine Weise der junge Radfahrer zu sagen, der auf seinem erhobenen Arm eine Platte mit Schüsseln balanciert, scheint mir das Mädchen zu sagen, das sich mit einer so tiefen und ritualisierten Gebärde vor den Kunden eines Kaufhauses am Aufgang einer Rolltreppe verbeugt, oder der Pachinko-Spieler, der seine Kugeln einführt, abschießt und empfängt - drei Gebärden, deren Koordination schon eine Zeichnung ist -, oder auch der Dandy im Café, der mit einem (trockenen und männlichen) Schlag die Plastikhülle von der heißen Serviette löst, mit der er sich die Hände abwischt, bevor er seine Coca-Cola trinkt: all diese kleinen Vorfälle bilden den eigentlichen Stoff des Haiku." *(Roland Barthes)*

***

Wie ein Pilot

Populäres Gedicht Nr. 13
Durch eine völlig
glatte Fläche
ganz aus mono-
chromem Blau segelt
da oben der Pilot.
Man sieht und denkt
das gleichzeitig in
einem Bild zusammen
das mit einem Ruck
verschwindet. Später
sagt man sich, daß
man es selbst gewesen
ist, der dort als
winzig kleiner Punkt
verschwunden ist
wie ein Pilot.

(R.D. Brinkmann)

Vortrag auf einer Audiocassette während des Offenbacher Gesprächs
„Der Fall Memphis oder: Die Neo-Moderne" 1984

Rote Tomaten

Der überraschende Effekt
wenn man plötzlich rote
Tomaten an einer Ecke
liegen sieht, ohne vorher
überhaupt an Tomaten gedacht
zu haben. das ist ein Bild
das dich auf der Stelle
umwirft, mitten am Tag
eine geballte Faust, sanft
auf beide Augen gedrückt.
Morgen sieht sowas schon
wieder anders aus, denkt man
und die Tomaten sind dann
weg. Trotzdem hält sich der
Abdruck noch länger auf
beiden Augen, ohne daß man
viel damit anfangen kann. Für
dich ganz allein nimmst
du dir aber vor, noch einmal
von vorne anzufangen in der
Erinnerung an soviele rote
Tomaten wie man vorher
noch nie auf einen Haufen
liegengesehen hat.

(R.D. Brinkmann)

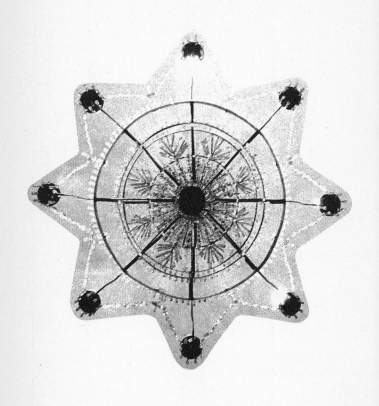

An die jungen Designer

- Mit dem Fertigen arbeiten und die Produktion anderen überlassen (auch den Schweiß).

- Ganz „figlio di papa", die Qualität prüfend, sich die besten Rosinen aus dem Kuchen picken.

- Entwicklungsaufwand scheuen und mit den schmutzigen Gedanken der Besserwisser, von der Technik profitierend, Ästhetik und Funktion mit minimalem Aufwand effektvoll korrigieren.

- Den Überfluss genießen, sich ausgiebig Pausen gönnend, hyperkritisch über die Arbeit der Fleißigen urteilen.

- Von den ökonomischen Fertigkeiten der Gebrauchtwagenhändler träumen, und ein gutes Geschäft wegen zu großem körperlichen oder psychischem Aufwand ausschlagen.

- Die detailverliebten, kunstvoll gezirkelten technischen Zeichnungen begabter Konstrukteure als interessantes, geschmackvolles Dekorationsmaterial, oder graphisches Element, zur Anwendung in Erwägung ziehen. (Futurismus?)

- Eine Arbeit so lange liegen lassen, bis eine elegante Lösung sich von selbst anbietet.

- Sich mit der Sicherheit geübter Weltreisender immer wieder in gemachte Betten legen.

„Kaufhaus des Ostens",
HdK Berlin-Verlag edition copie, Berlin/Hannover 1984

Wildfremde Elefanten

Was interessiert uns der konstruierte Gegenstand, der Schweiß, den das gequälte Material uns abringt, die endlos scheinenden Kämpfe um das Produkt auf dem Wege von uns zu dem Alltag der Verkaufsplätze, wenn unsere Herzen verstummt sind!

Das Denken an das Produkt, nach einer Marktanalyse und dem Abklären der Möglichkeiten der Produktion, verstellt uns den Blick auf die Poesie des Erwünschten, die stets sich zusammensetzt aus den Erinnerungen des Gebrauchs und dem unbestimmten Gefühl, es „noch schöner" zu machen.

Das zu ergründen bedarf es wohl kaum der betonierten Bundesautobahnen und der Abwesenheit launischer Hindernisse. Da gilt es auf einem welken Blatt zu balancieren, sich den täglichen Überfällen der Langeweile preiszugeben, den Echos ferner Düsentriebwerke zu lauschen oder dem Tod irgendeines wildfremden Elefanten in Indien.

Und dann könnten die Vorhänge des Himmels sich öffnen und das dunkle Schweigen der Gegenstände wird gebrochen sein; die schöne Hand eines neuen Tages liegt auf ihnen und gestern ist eine verblichene Sensation. Und so, wie die Gegenstände den Tälern der Erinnerung entstiegen sind, geht das neu geschaffene Objekt ein in die Verstrickungen des Alltags und wird oft unerwarteten Funktionen körperlicher, geistiger oder seelischer Art zugeführt, wird verwoben in den Teppich persönlicher Schicksale, wird Weggefährte, Kumpan und kann allmählich ein Teil von uns werden, wie wir ein Teil von ihm.

Es gibt ihn nicht, den neutralen Gegenstand!

„Kaufhaus des Ostens"?, Text zusammen mit Eva Hillebrand, HdK Berlin - Verlag edition copie, Berlin/Hannover 1984

Das reine Herz

Das Kaufhaus des Ostens (KdO) war ein zwei-Wochen Projekt, daß ich zusammen mit J. Morrison und J. Stanitzek im Sommersemester 1984 an der HdK-Berlin (Fb 3, Fachgruppe Roericht) konzipiert und betreut habe.

Das KdO ist ein Pool, der durch die geschulten Augen müßiggehender Parhasardenie sich ständig erneuert, beziehungsweise erweitert. Dazu bedarf es keiner Hast. Es gilt nichts Neues zu entwerfen; ohne Stift und Zeichenbrett wird nur das verwendet, was die Industrie sowieso ausstößt. Gefordert wird nicht der Schweiß des Fleißigen, sondern das Schlitzohr, oder gar Genie eines Kaufhaus-Flanneurs, der mit der Erkenntnis, daß die Faulheit oft Mutter praktischer Erfindungen ist, mit Bedacht das eine oder andere Objekt aus dem reichhaltigem Angebot unserer Verkaufsplätze auswählt. Sei es, weil es ihn durch seine Häßlichkeit in eine kreative Unruhe versetzt, sei es, weil es ihn durch seine Eleganz verzaubert, oder auch nur weil es billig ist. Das Andere kommt später...

Das KdO ist inspiriert von den Ready-mades und Objets-Trouvés, die mit den Namen Duchamp, Picasso, Man Ray usw. verbunden sind. Aber während vor allen Duchamp seinen Ready-mades Wortspiele, oder literarische Bedeutungen zugrunde legt, die sich im ungeschminkten Objekt materialisieren und ihre Ästhetik ganz beim gefundenen Objekt belassen, dienen die Ready-mades (und hier stimmt's!) des KdO ganz der Sinnlichkeit, dem Genuß des Gebrauchs und der Freude an der Vielfalt industrieller Produktion mit den sich bietenden Kombinationsmöglichkeiten. Es geht in erster Linie um den Gebrauchsgegenstand.

Das KdO entstand auch aus der Langeweile die das sogenannte „Neue Design" hervorrief, nachdem man zunächst das Etablierte stürmisch in die Ecke gefeuert hatte, um sich dann

das reine Herz !

nach geraumer Zeit wieder in formalen - natürlich witzigen oder bösen - Bahnen zu bewegen. Denn was hat sich letztlich geändert? Was ist neu?

Da gibt es auf der einen Seite ein „neues" Formenrepertoire - das heißt neu ist hier wohl der falsche Ausdruck, es handelt sich eher um eine andere Interpretation desselben. Die Bauhaus-Ausbildung, vor allem aber die „Ulmer Schule" stellten die Elementarformen stets an den Anfang, und quälten danach ihre Eleven mit Teilungen, Klappungen, Rotationen usw. durch die Geometrie zum Objekt. Das „Neue Design" quält die Elementarformen durch die Objekte und fügt - der Kreativität ein Krönchen aufsetzend - ein paar „freie" Formen dazwischen. Das ist vom Vorgang her gar nicht so verschieden. Die Objekte selbst bleiben zunächst nur der Gegenstand ideologisch determinierter, formaler Kniebeugen.

Auf der anderen Seite stellt sich allerdings auch die Frage nach der Bedeutung der Gegenstände im täglichen Gebrauch/Nichtgebrauch, d.h. welchen Stellenwert sie einnehmen, oder was alles sich mit ihnen verknüpft. Wodurch die formale Frage natürlich in einem völlig anderem Licht erscheint. Hier haben wir den zweiten, weitaus wichtigeren Ansatzpunkt des „Neuen Design" - wobei man hier noch ein paar Jährchen mehr zurückgehen muß, zur Pop-Art, dem Radical-Design, den radikalen Architektengruppen der späten 60ger und den 70er Jahre, oder Venturi & Rauch z.B...

Aus der Kritik an der Beliebigkeit und Aussagelosigkeit funktionalistischer Umweltgestaltung heraus wurden Konzepte entwickelt, die auf spezifische kulturelle/gesellschaftliche Zustände abgestimmt waren, was zwangsläufig einen unbekümmerteren Umgang mit Materialien und Formen mit sich brachte, d.h. daß die funktionalistische, „reine" Form nicht mehr Maßstab „guten Designs" sein konnte. Dies wurde, angesichts der mächtigen funktionalistischen Auffassung, nur in Einzelfällen realisiert, bzw. gebaut. Der Großteil der Aktivitäten fand in Zeitschriften, Büchern, Ausstellungen oder Happenings statt und hatte in der Regel projizierend provokativen Charakter, um die in Selbstgefälligkeit entschlummerte Architektur- und Designdiskussion wachzurütteln und neue Gestaltungswege zu eröffnen. Dies trifft besonders auf die, in unserem Falle wichtige Gruppe Alchimia zu, die Ende der 70er Jahre die Fachwelt mit ironisch-provokativen Entwürfen auf die Diskrepanz zwischen der realen Alltagskultur und dem elitären funktionalistisch orientierten Mainstreamdesign hinwies und damit die Fachwelt schockierte.

Dies ist nun ein paar Jahre her. Die Fachwelt und auch das „Normalpublikum" zeigen sich mittlerweile sehr aufgeschlossen. Nuova Alchimia hat seine Warnungen wahrgemacht und produziert jetzt den Kitsch, den sie so lautstark vermißten. Das ist ja o.k. soweit. Man wundert sich ja nur, wenn heute immer noch zornige junge Designer gröhlend in offenen Türen stehend, ihr „Neon - Plastik - Großstadt !" proklamieren und ihre „provokativen", plakativ-windigen Material- und Bildkollagen als das „Neue Design" feiern. (Stühle mit krummen Beinen usw., der Fernseher, das Hochhaus als Lampe - Metropolis - ha,ha!) Wir brauchen - verflucht nochmal - kein „Neues Design" und schon gar keine neue Ideologie! Was wir wollen, ist eine dynamische Profession, die in der Lage ist, frei von stilistischen oder sonstwelchen Zwängen, auf sich ständig ändernde Lebensbedingungen die jeweils angemessene Antwort zu finden. Dies ist nicht mehr mit der Ignoranz der Fachidioten, Designer oder Architekt, zu schaffen. Dazu muß der eigene Handlungshorizont erheblich erweitert werden.

So gesehen ist das KdO der Versuch - oder eine Übung - sich dem eigentlichen (normalen) Betätigungsfeld des Gestalters, der Alltagskultur, mit den Augen eines Fremden (oder denen eines Kindes) zu nähern, der nichts vom Gebrauch oder den Zusammenhängen, in denen die Gegenstände unserer Warenkultur stehen, weiß. „Die voraussetzungslose Begegnung mit der Dingwelt" als Ausgangspunkt. (C. Kellerer: „Der Sprung ins Leere") Vergessen sein sollen die Worte oder Begriffe, mit denen all diese Dinge belegt sind und die jedem neuen Gestaltungsanlauf von vornherein ein bestimmtes Bild aufoktroyieren. So können sich die Dinge öffnen und ihre ästhetischen, funktionalen, kulturellen oder sonstwas Geheimnisse preisgeben. Wie weit dies gehen kann, hängt von „der Erlebnisbereitschaft, der Assoziationsfähigkeit und dem psychischen Bedeutungsgewicht" ab, das der jeweilige Gestalter aufzubringen vermag. (C. Kellerer, ebenda, Psychologische Beschreibung des Zufallserlebnisses) Hierbei werden sich immer - je nach Veranlagung - unterschiedliche Schwerpunkte der Betrachtung und Bearbeitung herausbilden. Frei von dem Zwang, gestalten zu müssen, der Qual der Wahl des „richtigen" Materials und der Form, werden die Dinge Gegenstand der Erinnerung, kritischer Reflexionen, humoristischer Spielereien oder des Zynismus. Losgelöst von ihrer eigentlichen Bestimmung, erlauben sie Funktionen oder Eigenschaften, die dem per Definition zu entwerfenden Gegenstand verwehrt werden. Und die man doch am Alten so sehr schätzt. Der Tisch und der Stuhl, der wackelt und den man gerade deshalb nicht wegwirft, weil er dies tut, und ihm ob dieses Charmes eine völlig andere Funktion zuweist. Verknüpfen sich diese Überlegungen mit der Ästhetik oder den reizvollen Materialeigenschaften gefundener Fertigprodukte, entsteht das neue Designobjekt.

Der solide Ziegelstein als Basis, die eleganten Tomatenrankstangen als Beine, die Glasplatte als Präsentationsfläche für besondere Gegenstände. Die stark zeichenhafte Wirkung, und gerade seine Labilität, weisen den Regal-Tisch als einen Aufbewahrungsort für Dinge aus, die man besonders schätzt, denen sich der Fremde nur mit Vorsicht nähern darf, und machen ihn zu einem Gegenstand, der als klassische Design-Aufgabe kaum zu stellen ist.

Die Axtstiele, deren Form der Ergonomie jahrhundertelanger Handhabung entsprechen, erscheinen, an einen Lagerregalboden geschraubt, als biedermeierliche Reminiszenz an das Industriezeitalter, als „ehrlicher" Kitsch neben dem maschinengedrechseltem Gelsenkirchner-Barocktisch in Lieschen Müllers Wohnstube.

Badewannen- und Duschtassenuntergestelle, deren maschinenhafter, visueller Charme hinter Kachelungen zu verschwinden pflegt, verwandeln sich in eine niedrige Sitzgruppe mit Tisch und schaffen damit eine - fernöstliche Kulturen entlehnte - Situation des Sitzens und der Kommunikation.

Auf einen Ledergürtel genietete Blechstanzreste werden zum modischen Ornament industrieller Fertigung.

Gänzlich unbearbeitet oder kombiniert, wird der Obstpflücker durch den upside-down Trick zum Obstkorb und somit zur Vergegenständlichung des Früchteverzehrs, als Anfang und Ende.

Der Betonstampfer aus Stahl bekommt den ergonomisch richtigen Knick und dient nun - mit einem isolierschlauchummanteltem Griff als Sitzfläche - als Stehsitz.

Der Plastiktrichter als Lampenschirm.

Die Faszination an der problemlosen Kombinierbarkeit von Gitterroste-Fußabtretern läßt z.B. einen Hocker oder - verbunden mit quadratischen Holzleisten - ein veränderbares Regal-, Sitz- oder Sonstwasobjekt entstehen.

Die (Trage-) Taschenuhr, zusammengesetzt aus einer Einkaufsplastiktüte und einem Uhrwerk aus dem Elektronik-Bastler-Shop.

Die Designintentionen reichen vom lustvollen Umgang mit Halbzeugen über Tautologien (d.h. der materiellen Umsetzung von Dingbezeichnungen) oder dem Nachäffen von Design-Kultobjekten mit billigen Fertigprodukten bis zur Interpretation bestimmter oder allgemeiner Lebensumstände. Allen Versuchen gemeinsam ist, *daß der Gestaltungsimpuls immer vom gefundenen Gegenstand ausgeht.* Sie sind eine Entdeckungsreise ins unerkannte Bekannte. Sie erheben nicht den Anspruch eines neuen Stils oder eines neuen DesEIgn des Kolumbus und sie wollen auch nicht unbedingt ernst genommen werden. Dies sollte das Problem des Rezipienten bleiben.

Was sie aber ganz sicher sind, ist der Anlauf zu einer veränderten Sehweise. Das gängige Design geht davon aus, mit funktionalen, formalen und technologischen Überlegungen „richtige" Lösungen zu finden; das „Neue Design" versucht in der Krise gesellschaftlicher Wertvorstellungen - letztlich mit genausoviel Ernst - erneut formale oder stilistische Maßstäbe zu setzen.

Viel wichtiger allerdings scheint es die „Frage nach den Einsätzen zu stellen: Was macht man eigentlich...?. Da spielt etwas äußerst Schweres hinein, das durchaus kein Gefallen ist, auch nicht einmal das mit Unlust gemischte Gefühl des Erhabenen, sondern eine Beziehung zu Zeit, Raum und Sensibilität, ..." oder „Warum geschieht überhaupt etwas und nicht vielmehr nichts?" (J.F.Lyotard: „Immaterialität und Postmoderne")

Das KdO ist politisch. Wir leben in einer Zeit, in der sich gesellschaftliche Entwicklungen in einem rasanten Tempo vollziehen, wobei es deren markantestes Merkmal ist, daß sie nicht mehr geradlinig erfolgen, sondern in Sprüngen, die sich nicht mehr zwingend aufeinander beziehen. Das „gesicherte Wissen" gehört zunehmend der Vergangenheit an, Enzyklopädien haben allenfalls noch chronistischen Charakter. Die Ideale der Moderne, die ständigen Vorspiegelungen einer glänzenden, besseren Zukunft, geraten angesichts infernalischer Kriegsmaschinerien, Umweltzerstörung und moralischer Krisen zur Posse.

Die klassische Aufgabe des Designers, zusammen mit der Industrie einen gesellschaftlichen Bedarf oder Mangel, Hand in Hand, zu befriedigen, ist den Anforderungen von Marketing-Managern gewichen. Worte wie „Produktdifferenzierung" oder „Marktanalyse" etc. stehen im Zentrum der Entwicklung neuer Produkte. Sie haben die Suche nach gesellschaftlich und ökologisch vertretbaren Lösungen verdrängt. Die Ideologie des Funktionalismus dient nur noch als Legitimation oder wird zielgruppenorientiert vermarktet. Auch Moden spielen, wie im Falle des Revivals der „Klassiker der Moderne", eine Rolle - allerdings sind die Freischwinger und Konsorten schon entworfen. In der Regel wird dem Designer heute von den Verkaufsabteilungen gesagt, was „ankommt" bzw., was er machen darf. Spätestens alle zwei Jahre wird dann irgendwo ein Radius oder die Farbe geändert. Kommen neue Produkte hinzu, werden sie in das Firmenimage eingepaßt, was mehr eine Frage des Styling ist. Dazu bedarf es keinen großen Aufwandes. Entsprechend hoch ist die Zahl nichtbeschäftigter Designer. Aufregende Neuerungen - vor allem in der Unterhaltungs- und Elektronik/Computerindustrie - werden von Technikern hervorgebracht. Auch hier ist der Designer nur als Stylist gefragt. Entwicklungen werden von ihm nur nachvollzogen. Die Bereiche, in denen der Designer heute noch in befriedigendem Maße arbeiten kann, und mit denen absurderweise alle anspruchsvollen Fachmagazine ihre Seiten füllen, werden immer enger: Und damit auch der Konkurrenzkampf der verbliebenen Recken. Angesichts dieser Entwicklung wundert man sich doch sehr, wieso das Berufsbild des Designers in seiner herkömmlichen Form aufrecht gehalten, und man wundert sich noch mehr, warum an den Hochschulen daraufhin ausgebildet wird.

Hier setzt das Kaufhaus des Ostens an : Wird der Designer am Anfang der Produktionsmaschinerie nicht mehr gebraucht, stellt er sich eben an deren Ende, d.h. er kapituliert nicht vor der auferlegten Beschäftigungslosigkeit und hält die Fahne seiner Profession immer noch hoch. Nicht als Beschäftigungstherapie, sondern indem er über daß, was sowieso schon da ist, völlig unbeschwert nachdenkt und es einem erneuten Gestaltungsprozess unterwirft.

Der Alltag als die Bühne ständiger Inszenierungen. Heute arm, morgen reich; ob blond, ob braun - ich liebe alle Frau'n.

Das reine Herz kennt keine formalen Grenzen. Es kennt keine Ideologie der Materialien und es hat keine übergeordneten Vorlieben. Es ist immer verliebt und es spielt keine Rolle, ob die Liebe ein Leben lang währt oder ob sie täglich neue Erfüllung sucht und findet. Wichtig ist, daß sie immer da ist! Heftig, fordernd, gebend, sich ungestüm verzehrend.

Wohnen von Sinnen, DuMont, Köln 1986

Design Poker

Oft setzt man sich hin, mit den besten Absichten. Eine Aufgabe will gestalterisch gelöst sein. Klar, haben wir doch gelernt!

Analyse, Beispielsammlung - was ist schlecht? Was kann man besser machen? Skizzen, Vormodelle 1:5, 1:10 usw...

Und dann steht man vor dem fertigen Prototyp und fragt sich, was daran jetzt eigentlich anders ist, als an den ganzen übrigen Gegenständen um uns herum - ganz egal ob vom selben Genre, oder völlig artfremd. Man hat doch alles richtig gemacht. Gelernt ist gelernt! Und trotzdem: Alles die gleiche öde Soße!

Der brave Designer zuckt die Schultern und in dem Bewußtsein, zwar nicht aufregende, aber solide Arbeit geleistet zu haben, wendet er sich dem Feierabend zu, blättert in der internationalen Fachpresse und wundert sich, wie manche (vielleicht bekannteren) Berufskollegen ihre »Genie-Streiche« gelandet haben. »Das war doch Zufall« denkt er sich. Zufall?

Wirft das nicht das gesamte Konzept objektivierbaren, »meßbaren« Designs über den Haufen? Schwankt da nicht ein Berufsbild, das sich von Kunstgewerbeschulen zu den Akademien oder gar Universitäten verwissenschaftlicht hat?

Ein Seitenblick auf eine andere Disziplin kulturellen Schaffens - die Musik - präsentiert uns einen zeitgenössischen Komponisten wie John Cage, der den Zufall zum hauptsächlichen Kompositionsprinzip erklärt hat und ihm mit allen erdenklichen Mitteln Tür und Tor geöffnet hat. Und siehe da: Am Ende kommt Musik dabei heraus.

Nun gut, was dem Cage und der Musikwissenschaft recht, das ist uns Designern billig. Schnell Karteikarten gekauft und los gehts! Was sind die sechs wichtigsten Kriterien für das Design eines Gebrauchsgegenstandes?

Also:

- Material; (Holz, Stahl, Kunststoff...) Jedes Material, oder Materialkombination, bekommt eine eigene Karte.

- Technik; d.h. Verbindung der Materialien (schrauben, kleben, nageln...)

- Wo finde ich das Material; (Holzhandlung, Kaufhaus, Gartencenter...)

- Design-Motivation; warum will ich überhaupt etwas entwerfen? (Für die Eleganz, sexuelle Motive, Funktionalität...)

- Kulturelle Beweggründe; für wen möchte ich etwas entwerfen? (für einen Pfarrer, Kettenraucher, den Herrn Kohl ...)

- Ideenfindung; wo oder wie bekomme ich meine Ideen für den Entwurf? (Gespräch mit einem Spezialisten, Spaziergang, Peep-Show, Studium von Fachliteratur...)

Wer kennt nicht das Phänomen des herunterfallenden Apfels, der wegrollt und damit die Erfindung des Rades provoziert?

So! Jetzt wird das Ganze in einen Karteikasten eingeordnet und der Design-Kandidat zieht aus jeder Kategorie eine Karte. Nun ist alles klar - verblüffende Kombinationen (wäre ich nie draufgekommen!) - er weiß, was er zu tun hat. Alle Skrupel sind beseitigt! Sollte nicht alles zusammenpassen, hat er, ähnlich wie beim Pokern, die Möglichkeit, zwei Karten zurückzugeben und neu zu ziehen. Da heißt es natürlich schlau sein! Und danach kommt es darauf an, die erste Karte geschickt auszuspielen. Dazu bedarf es einiger Übung.

Aber dafür ist das Spiel ja da. Die einzige Regel lautet: Am Anfang der Woche werden die Karten gezogen, am Ende der Woche wird der fertige Gegenstand präsentiert. Was das Ganze soll?

Das Industrie-Design ist in den letzten 20 Jahren von einer experimentierfreudigen, dynamischen Profession zu einem - fast ausschließlich - von Produktionstechniken und Marketingstrategien dominierten Handwerk degeneriert.

Vorbei ist es mit den gesellschaftlichen Utopien, oder Fantasien, denen der Designer Form verleiht und an denen der Konsument eine Freude findet, die über den reinen Gebrauchswert hinausgeht. So versucht das Design-Poker - fern eingeübter Entwurfsdogmen - nach den Gesetzen des Zufalls, Alltagsmythologien oder Träumereien auf die Spur zu kommen, um die spielerische Kreativität als eine wichtige Komponente des Designs wieder einzuführen. Oder mit Christian Kellerer geantwortet: »Mit einem gewissen kollektiv-kulturellen Bewußtseinsgrad wird das Spiel mit dem Zufall eine Erlebnisform, ohne die die Kultur und vor allem die Zivilisation nicht mehr zu ertragen wären - nämlich dann, wenn sich der Mensch in dem von ihm geschaffenen Kultur- und Zivilisationsrahmen beengt zu fühlen beginnt.«

Das Wirtschaftsforschungsinstitut der Handelskammer Steiermark zeigte die Ergebnisse der FB 3-Projekte im März im Foyer der Handelskammer als Auftakt einer Schwerpunktaktivität zum Thema »Design«.

Die in den Medien stark beachtete Ausstellung in Graz, an der 10 Berliner Studenten teilnahmen, wird von den Teilnehmern als Ermutigung angesehen, die experimentellen Ansätze der Berliner Designschule in der Lehre fortzusetzen.

HdK-Info Berlin, Nr. 4 1986

AB 86

EWIE

Alles ist möglich - á la carte

Die Provokation

Natürlich entsteht die Provokation immer aus dem Moment oder der Situation. Irgend etwas sitzt fest, ist verknotet, läßt sich mit herkömmlichen Mitteln nicht mehr lösen. Die Provokation wechselt die Argumentationsebene, stellt auf den Kopf - oder in die Wüste - arbeitet zwischen zwei Polen, deren eines Ende sie selbst bestimmt. Dazwischen findet der Diskurs statt. Die Provokation will entweder alles oder nichts, oder sie eröffnet die Diskussion in eine intendierte Richtung. Die Lösung bleibt offen.

Die Provokation ist schlau. Sie weiß um die Geschichte des Gegenstandes und um die Mittel, die sie benützt, und sie kennt die Wiederholung - als Provokation.

Das Experiment

Das Experiment weiß, daß so, wie es ist, es nicht stimmt. Es ist eine Ahnung von anderen Möglichkeiten. Es stellt Thesen auf, deren Richtigkeit noch „in den Sternen stehen". Es hebt die Spekulation in den Himmel der Wissenschaft, es tut so als ob. Es tastet sich vor auf unbekannten oder artfremden Wegen. Das Experiment stellt den Fehlschlag und den Erfolg auf das Siegerpodest.

Die Utopie

Grundlage der Utopie ist die Analyse des Jetzt-Zustandes mit dem Wissen seiner geschichtlichen Entwicklung. Sie verdichtet Fakten zu Tendenzen, wägt ab, um Zukunft vorstellbar zu machen. Das kann positiv oder negativ ausfallen, denn es ist niemals frei von den konkreten Bedingungen der Jetzt-Zeit, bzw. der materiellen und psychischen Konstellationen des Utopisten.

Die Utopie ist weniger die Vorausschau auf ein „Morgen",

als die Verlängerung des „Ist-Zustandes" zur Perfektion.

Das Provisorium
Das Provisorium materialisiert eine Übergangssituation. Es ist eine „Notlösung", an der der zukünftig zu schaffende Zustand ausprobiert wird. Seine Ästhetik ist die der Montage und der Demontage. Das Provisorium muß radikal sein, um dem Weiterdenken neue Räume zu eröffnen. Es ist großzügig, es kann geliebt oder gehaßt werden, und es ist gleichgültig gegenüber jeglicher Form von Behandlung.

Die Allegorie
Wo die Worte fehlen, einen Gegenstand oder Zustand zu benennen, versucht das Gleichnis den Kern der Dinge zu treffen. Die Allegorie ist abstrakt und konkret zugleich. Der Vergleich mit Ähnlichem (Das sieht aus wie...) macht Schwieriges vorstellbar oder gibt dem Gewöhnlichem neuen Charme bzw. macht es erneut offen für vorbehaltlose Anwendung. Der Stuhl, zum Schaf geworden, darf wieder mehr tun als zuvor. Die Beweglichkeit des Tieres erlöst ihn von Tisch oder Wand, er - und damit wir - darf sich den Platz suchen, der seinem momentanen Temperament entspricht.

Die Satire
Wenn man gesellschaftlichen Umständen immanent nicht mehr konstruktiv begegnen kann, schafft die Satire neuen Bewegungsraum, ohne läppisch zu werden. Sie operiert an freigelegten Nerven, d.h. sie bohrt geradezu in den Schwachstellen - da wo es am meisten wehtut. Den Mitteln, derer sie sich bedient, sind

keine Grenzen gesetzt, je härter, desto besser. Wichtig ist nur, daß man sie versteht und das man hinter ihr andere, bessere Lösungen erahnt.

Die Melancholie
Die Melancholie hat auch schon vermeintlich bessere Zeiten erlebt. Das Wissen von den unzähligen besseren Möglichkeiten verbaut ihr den Handlungshorizont. Sie ist unentschlossen, begnügt sich mit Gewöhnlichem, um ihr manisches Festhalten an verkitschten Euphorien nicht offenbar werden zu lassen.

Der Formalismus
Der Formalist ist froh, von den entscheidenden Fragen des Lebens entbunden zu sein. Alle Probleme, denen er sich stellen muß, sind auf wenige Prinzipien reduziert, die er auf geschickteste Weise virtuos komponiert. So ist er offen für jegliche Fragestellung, es gibt nichts, was ihn in Verlegenheit bringt, nichts, was er nicht in gewohnt perfekter Weise meistert. Die Euphorie, die seine Leistungen bei ihm provozieren, ist die eines Schauspielers.

Sesselpupen
Grundlage erfolgreichen Sesselpupens ist die Geduld. Man begebe sich in eine gefestigte, funktionierende Struktur und versuche erstmal, über einen möglichst langen Zeitraum nicht aufzufallen. Dazu ist extreme Geschicklichkeit und ein solides Grundwissen erforderlich. Jede gestellte Aufgabe will mit Feingefühl für das realistisch Machbare - d.h., das gewohnt Gängige - gelöst sein. Grundsolide! Ge-

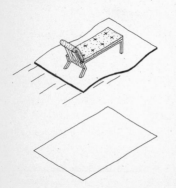

ruchsentwicklung, die den vorhandenen Mief überstinkt, sollte auf alle Fälle vermieden werden. Nach einer bestimmten, der Struktur entsprechenden Anzahl von Jahren bekommt man dann - nun schon auf einer Art Mahnmal der Zuverlässigkeit - endlich den Sessel, in den es sich nach Herzenslust pupen läßt.

Die Magersucht
Nur wer die Köstlichkeiten gutbürgerlicher Küche kennt, die dicken Mammis, die mit der Strenge preußischer Oberfeldwebel ihre Klöße und fetten Soßen zum Verzehr befehlen, kann ermessen, welche Qual und welche Lust die Essensverweigerung bereiten kann. Es ist ja nicht so, daß man nicht möchte, man kann nicht! Oder man darf nicht? Oder man will nicht? Oder man soll nicht? Oder man würde, wenn nicht...? Oder überhaupt! So nicht!

Das Abstauben
Der Begriff des Abstaubens ist der Terminologie der Fußballplätze entlehnt. Er bezeichnet eine äußerst geschickte Methode zum (Tor-)Erfolg zu gelangen.

Grundlage sind zunächst gute Beobachtungsgabe, Einfühlungsvermögen und Spielverständnis. Hierbei ist nicht nötig immer selbst am Aufbau der Spielzüge beteiligt zu sein oder sogar sie zu gestalten. Durch gutes, sogenanntes „Stellungsspiel" taucht man im richtigen Moment im gegnerischen Torraum auf, um dann, wenn die eigenen Mitspieler im Rausch ihrer genialen Attacke die Übersicht verloren haben, das Leder über die Linie zu dreschen.

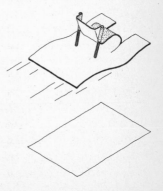

Hinterher läßt man sich dann feiern.

Die Fettsucht

Fettsüchtig ist man nicht einfach so, man muß es sich erarbeiten. Das heißt, es beginnt zunächst mal damit, daß man die ganzen herrlichen Gaumenfreuden für sich entdecken muß. Dies ist mit nicht unerheblichem Aufwand und Hingabe verbunden. Langjährige Studien aller erdenklichen Speisenfolgen und Kombinationen, Ausflüge und längere Reisen in exotische Nahrungsgefilde. Bekanntes, Unbekanntes und gar eigene Creationen. Dies alles, um dann schließlich an dem Punkt anzukommen, von dem ab alles egal ist. Jetzt wird nur noch gestopft! Völlig wurscht, was da kommt. Rein damit!

Die Monomanie

Zunächst ist da eine Idee oder Vorstellung, die einen begeistert. Mannomann! Daß ich da draufgekommen bin! Genial! Dann macht man es und ist nochmal begeistert. Dann macht man es nochmal und nochmal und nochmal, und die Begeisterung scheint jetzt endgültig zu bleiben. Man kann sich jetzt im Hochgefühl einrichten. Natürlich bedarf es der Verfeinerung, denn das Heim will geschmückt sein!

So! Jetzt suche sich einjeder raus, was oder wer er sein möchte oder ist. Natürlich auch querdurch! Warum denn nicht?! Wir wollen jetzt nur mal wissen, was wir tun.

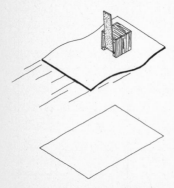

Berliner Designhandbuch,
Merve-Verlag, Berlin 1987

50

Thesen für ein BDIA Symposion

Sehr geehrte Damen und Herren!
Im folgenden meine Thesen für das Symposium.

- **1.** Die Wohnung bleibt, trotz Fernseher und ähnlichem,
  das letzte Refugium der „eigenen Welt".

- **2.** Der Einfluß der Mode ist - so stark er auch sein mag -
  hinsichtlich der „Gemütlichkeit" sekundär.
  Wohnen an sich ist konservativ.
  Der „Geschmack" als Kriterium gewinnt an Relevanz.

- **3.** Möbel werden weniger zur Frage des Stils, als zum
  Inventar von Erinnerungen.

- **4.** Die Inszenierung wird zum Mittel der Gestaltung.
  Lebenskonzepte materialisieren sich als Möbel - mit dem
  Wissen um die Relativität der Gegenwart.

- **5.** Das „Älterwerden", oder die „Alterungsfähigkeit", von
  Möbeln entscheidet sich an der Qualität der Material-
  entscheidungen und an den provozierten Assoziationen -
  oder an ihrer Fähigkeit, in persönlichen Geschichten ihren
  Platz zu finden.

- **6.** Am Anfang steht nicht die Kollektion, sondern der
  einzelne Gegenstand. Das Material, seine Bearbeitung,
  Gefühle, Geschichte etc...

- **7.** Perfektion als Gesamtbild, als Styling, verbaut
  sowohl Rückblick als auch Ausblick auf das reale Leben.

- **8.** Heute back ich, morgen koch ich,
  übermorgen hole ich der Königin ihr Kind.

Brief vom 19.4.87

Experimentelles Design, oder „Guten Morgen Frau Jakubeit!"

Natürlich ödet es mich an, wenn persönlichen Strategien immer Allgemeingültigkeit abverlangt wird!

Wahrscheinlich ist es das tiefsitzende deutsche Gemüt, das endgültige Lösungen fordert. Egal, ob im Kaiser-, Welt-, oder im Reich des wirtschaftlichen Erfolgs. Und was aneckt, wird glattgebügelt. Entweder ja - oder nein!

Wie machen Sie das eigentlich? Ist ja wirklich schön, aber leider: Kunst! Was? Wie? Aber ich bin doch Ingenieur! Ja, ja, für Mathematik habe ich mich auch schon immer interessiert. Ich mein, es ist doch wirklich egal, ob einmal, 20mal oder 1000mal. Sowieso 1000mal, hab ich gar nichts gegen. Die Frage ist nur: wie? Nein, nicht wie ich dahin komme, sondern ob ich überhaupt!

Das ist doch ganz normal, man macht irgendwas, und dann zeigt man's her. Dann beobachtet man die Reaktionen. Die können einem egal sein. Oder man denkt sich „Hoppla, ich komme an!" oder man sagt „Mist, Idioten!" oder so ähnlich. Und dann fängt's eigentlich erst an. Was wollen Sie denn im Grunde genommen? Sie oder ich.

Also mache ich „Design" oder so ähnlich. Das heißt, ich überlege mir, was so um mich herum in fester Form (oder dazwischen) existiert, und dann stelle ich was dazu oder nicht. Vielleicht ziehe ich auch nur einen Strich an die Wand und sage: „Jetzt geht's uns besser!" Vielleicht geht's dann auch nur mir besser, aber immerhin!

Warum, zum Teufel, glauben Sie eigentlich immer, daß ich anders sei als Sie oder daß Sie anders seien als die anderen, und daß, wenn Sie für die anderen arbeiten, Sie immer „vernünftig, verantwortlich handeln" müssen? Das Mittelmaß als Richtschnur. Die Projektion der Projektion. Hochinteressant! Ehr-

lich! Dallas läßt grüßen. Ist ja auch eigentlich nicht so schlecht.
Macht mir ja auch Spaß. Im Ernst! Was man sich da alles er-
spart! Man muß ja schließlich nicht jede Gemeinheit selber machen, und „gut" sind wir sowieso. Aber da sieht man's ja, Bobby ist der Dumme, und J.R. steht blendend da. Das zieht sich
durch! Jetzt haben so ein paar Vorstadtgangster Patrick Duffy's
=? Bobby's Eltern umgelegt, und da frage ich mich, wo da die
Fiction vor oder nach der Realität rangiert. War das jetzt Bobby
oder Patrick, dessen leiddurchfurchtes Gesicht über die Titel-
seiten geisterte? Einen Grund dafür haben beide, wir auch. Oh
Pam, die Welt ist so schlecht! Aber wir müssen durch.

Da steht er nun, der junge Design-Schulen-Absolvent, im De-
signer-Outfit und fragt sich, wer er jetzt sein wird: entweder der
überlegen lächelnde, hinterfotzige J.R. oder der lustig-listige
Wadenbeißer Cliff Barnes oder eben der gebeutelte ehrlich-gu-
te Bobby mit seinem Gerechtigkeits-Tick.
What can a poor boy do? Frog-a-du-bap, ram-a-dam-a-ramms.
Sitting on a dock of the bay. Mir brummt der Schädel.
Aber Frau Jakubeit! Natürlich weiß ich, daß Sie eine schöne
Wohnung haben, auch das Auto, alle Achtung, der Urlaub - Ke-
nia - große Klasse! Und der Beruf ist eben eine Sache, die man
mit möglichst viel Anstand hinter sich bringt. Es ist ja auch toll,
wenn man eine Aufgabe zur vollsten Zufriedenheit bewältigt
hat. Da hat zum Beispiel „swatch" mit seinen verrückten Uhren
- yeah-yeah-yeah - der Konkurrenz ein gewaltiges Stückchen
vom Marktkuchen abgeschnitten, und da rennt jetzt einer der
gelackmeierten Mitstreiter zu einem Designer und läßt sich
auch ein paar verrückte Müsterchen auf seine Zifferblätter ma-
len. Jetzt stimmt's wieder bei ihm. Wie Du Dir, so ich mir. Und
weil der Designer besonders schlau war, hat er sich das so aus-
gedacht, daß es keine Mehrkosten verursacht. Phantastisch! Jedem seine verrückte Uhr zum Preis von gestern! Und jetzt ran
an die nächste Aufgabe! Dieses Mal besonders reizvoll, weil
mit sozialem Engagement. Design für Behinderte! Da geht es
darum, Behinderten das zu ermöglichen, was Nicht-Behinderte

sowieso können. Von wegen Gerechtigkeit und so, leuchtet jedem ein. Ein Blinder - das ist jemand, der nichts sieht - möchte auch Schreibmaschine schreiben. Also wird die Schreibmaschine auf Blindenschrift umgerüstet. Das hat ein paar Konsequenzen, weil usw. Ein neues Gehäuse muß her, damit das Ganze klappt. Das wird dann später von den Sehenden als „gutes Design" beklatscht. der Blinde schreibt jetzt auf einer Schreibmaschine. Alles, was er dazu sagen kann, ist, daß er jetzt auf einer Schreibmaschine schreibt, und daß er jetzt gegenüber den Sehenden in diesem Punkt nicht mehr benachteiligt ist. Das ist schön, keine Frage. Aber was ist mit all den Dingen, die er viel besser kann als seine sehenden Mitbürger? Hören, riechen, tasten, Situationen fühlen. Objekte in seiner Welt nehmen einen ganz anderen Stellenwert ein, fordern andere Qualitäten und fordern vor allem das Schauspieltalent des Designers. Dallas-Effekt. Alles klar, Frau Jakubeit?

Oder nehmen wir zum Beispiel die, die das Design letzten Endes realisieren, die Arbeiter in der Fabrik, die Handwerker, Techniker etc.. Gutes Design hat mit mehr Lebensqualität zu tun, höre ich immer, gleichzeitig allerdings sagen mir die Produzenten, daß es zuvorderst rationell herstellbar sein muß: das heißt doch, mit möglichst wenig Handgriffen unter optimaler Ausnutzung des Maschinenparks und unter der Ausschaltung von menschlichen Gehirnen, die - unzuverlässig wie sie nun mal sind - Störungen verursachen könnten. Zeit ist Geld. Auch das zieht sich durch, Frau Jakubeit. Gehn Sie doch mal zu irgend so einer Handwerksbude um die Ecke und sagen denen, Sie hätten gern einen Stuhl - nein, nicht so einen, der so aussieht wie der bei Möbel Hübner in der Auslage, sondern hier soll er rund sein und da eckig, und die Rückenlehne soll aussehen wie der schönste Blumenstrauß - weil Sie gerne im Grünen sitzen. Nicht nur, daß man Ihnen sagt, Sie spinnen, die können das gar nicht. Woher auch, wenn man - von Konkurrenzdruck gepeitscht - seit Jahren nur noch Schrankwände, Türen oder Paneele gemetert hat. Alles aus beschichteten Spanplatten mit möglichst wenig Handgriffen zusammengeklopft. Für die beginnt Lebensqualität nach Feierabend, wie für Sie. Doch, doch, es gibt sie schon noch, die Handwerker, deren Berufsauffassung nicht nur aus einem florierendem Bankkonto und dem Benz vor der Tür besteht. Aber wenn Sie bei denen etwas bauen lassen, kommen hinterher die Klugscheißer und erklären Ihnen, daß dies nicht marktgerecht oder konkurrenzfähig sei. Der Spruch, daß „es schon immer teurer war, einen besonderen Geschmack zu haben" gilt eben nur für's Auto und die Urlaubsreise. Prost Feierabend! Experimentelles Design, Frau Jakubeit, wird nicht gemacht, es bricht aus! Wie der Massenmörder aus Santa Fu!!!

„Berliner Wege", Industriedesign aus Berlin, IDZ 1987

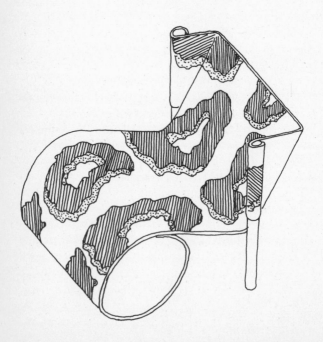

Anmerkungen zum „Wohnzimmer" - documenta 8

Wohnen ist konservativ. Über alle Stilepochen und Zeitströmungen hinweg sind die Grundelemente bürgerlichen Wohnens stets die gleichen geblieben. Von Zeit zu Zeit findet eine Oberflächen-Kosmetik statt, um dem Glauben an Fortschritt und an das „Besser-Werden" der Ideen das entsprechende Gewand zu geben. Dies kann „futuristisch", oder „traditionsbewußt", oder „zeitgemäß", oder sonstwie ausfallen: Die Grundfesten der Sesshaftigkeit bleiben unangerührt. Doch stets wird mit Vehemenz das „neue", „jetzt endlich gültige" Postulat proklamiert.

Was dann - nach Jahren - übrig bleibt, sind die Dinge, die den breitesten Assoziations-Hintergrund für den Rückblick auf eine vergangene Epoche bietet - für den Historiker.

Der von wissenschaftlichen Kriterien unbelastete Bürger indes trifft eine andere Wahl. Er sieht die Dinge die ihn umgeben nicht vor einem gesellschaftlichen, sondern vor seinem persönlichen Hintergrund. (Wer hat von meinem Tellerchen gegessen?) Sie laden sich auf mit Erlebten und gehen in ihrer Bedeutung für ihren Besitzer über den reinen Gebrauchswert (hier auch als ideeller G.) hinaus. Die Erinnerung - und zwar die persönliche! - wird zu einem Kriterium der Wertschätzung. Ideologie verliert in diesem Zusammenhang jegliche Bedeutung - es sei denn, dem Lebensenviroment kommt penikuläre Bedeutung zu. (Im Falle des Industriemanagers, oder Kunstkritikers - allerdings leicht zu entlarven an vielfältigen Kitsch-Asseccoires zwischen Wohlauser,wählten.) Die Wohnung des Architekten (vor allem des schlechten) setzt dem meist noch ein Krönchen auf, da wird eine formale Weltsicht zur Orgie, und in den Ferien erholt er sich dann in seinem rustikalen Häuschen in der Nähe von Siena.

Manuskript vom 20.6.87

Pony-Express

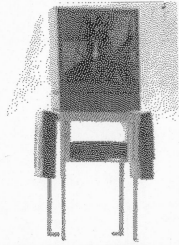

Die Nachricht an sich ist statisch, erst durch den Transport erhält sie ihre Dynamik. Waren einst ihre Transporteure noch personifizierbar wie zum Beispiel der Staffettenläufer oder Kurier, sind sie heute anonym. Senderwellen kann man nicht sehen! Allein in den Sende- und Empfangsgeräten läßt sich das Wunder der Übermittlung noch materialisieren. Die geschieht heute meist in Form einer Mystifizierung von Technik, wobei das „Technobild" sich längst verselbständigt hat, bzw. keine inhaltliche Informationen darstellt, sondern ganz allgemein für alles gilt, was ein technologisches „Wunder" verspricht.

Der PONY-EXPRESS versucht dem Fernseher und seinen „Brüdern und Schwestern" durch das bekannte Bild des Wild-West-Nachrichtenreiters eine „Persönlichkeit" zu geben, bzw. das allgemein Abstrakte zu personifizieren.

Somit wird der Anspruch des „aktiven Mediengebrauchs" durch die Verwendung einer „normal" faßbaren Form eingelöst. Man kann seinem Pony einen Namen geben.

Das versteht jeder!

Berliner Designhandbuch, Merve-Verlag, Berlin 1987

PONY-EXPRESS

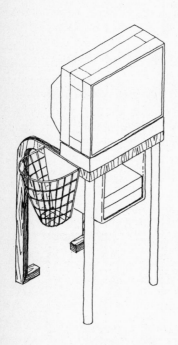

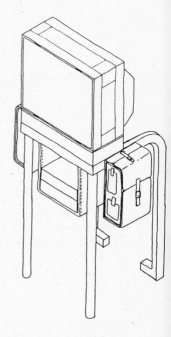

Holzrahmen (Multiplex Birke)
farbig transparent lackiert
Vorderbeine Stahl verchromt

Stahlrahmen /-Rohr
verchromt

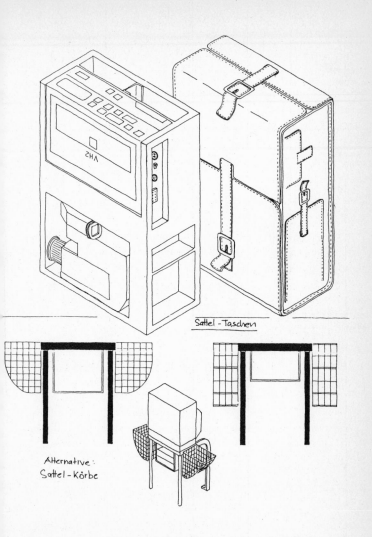

VHS

Sattel-Taschen

Alternative:
Sattel-Körbe

63

Projekt: documenta 8,
Wohnzimmer - Medienhund

Wohnen an sich ist konservativ. Im Wohnzimmer als bürgerliche Institution, die aufgeladen ist mit pseudo-Historie, persönlichen Erinnerungen und einer vagen Ahnung von dem, was heute die Essenz unserer Kultur darzustellen scheint, materialisiert sich das, was so gerne als Zeitgeist bezeichnet wird. Auch wenn dies noch so unterschiedlich ausfallen kann, sind doch die Grundelemente im Wesentlichen die gleichen: Sofa, Sessel, Tisch, Teppich und als Krönchen ein entsprechender Beleuchtungskörper - mehr Skulptur denn Lichtquelle.

Unberücksichtigt all dessen haben sich die Medien eingeschlichen und diktieren den Rhythmus der Gesamtanlage. Ihre Erscheinung schwankt zwischen - bis ins Groteske gehenden - Versuchen der Integration ("Stilkommoden" für den Fernseher), bis zum abstrakten Technobild, das seine Gültigkeit für alles zu haben scheint, was auch nur im entferntesten eine technologische Neuerung verspricht. Gerät dies alles zur Bedrohung, lindern Nippes und Deckchen die Not persönlicher Identitätsverluste. - Dies kann natürlich auch ein Wagenfeld oder ein Matheo Thun tun. Die Medien selbst bleiben abstrakt, verifizieren nur durch die Nachricht ihrer Präsenz. Gleich dem „pony-express" als personifizierten Nachrichtenübermittler, bietet uns der „Medien-Hund" als treuer Diener seine Dienste an. So wie der Bernhardiner mit seinem Rum-Fäßchen den von Schneemassen Verschütteten aufspürt und ihn mit dem wärmespendenden Naß labt, verschafft uns der „Medien-Hund" (Sie können ihn auch „Lumpi" nennen) Zugang zu den Wundern unserer verkabelten Städte. Technische Ingredenzien: Kontroll-Monitor, Radio, Telefon, Anrufbeantworter, Speicher, Fernbedienungselemente für TV - Video - Satelitenreceiver

Pressetext der Firma Blaupunkt vom 8.6.87

Statement

An sich glaube ich - nach 6 Jahren experimenteller Design-Arbeit - zum heutigen Zeitpunkt nicht mehr an die Notwendigkeit einer Design-Avantgarde. Das Phänomen der Avantgarde tritt immer zyklisch, nach langen Jahren der Etablierung „revolutionärer" Ideologien und deren Verhärtung (oder deren Breittreten) bis hin in den kleinsten Vorstadt-Supermarkt auf den Plan.

Jetzt sehe ich meine Aufgabe in erster Linie darin, Ideologien durch meine Arbeit zu verhindern. Ich interessiere mich für das alltägliche, banale Leben. Die kleinen Freuden, wie z.B. die vom Rummelplatz mitgebrachte Rose und der Platz an dem sie dann landet, inmitten der technischen und elektronischen „Wundern" unserer Zeit. Und wiederum für den Platz, den diese „Wunder" inmitten persönlicher Erinnerungs- und Kitschanhäufungen finden, wie sie sich funktional und formal integrieren. Oder für die im Treppenhaus aufplatzende Einwegtüte.

Design ist für mich die Auseinandersetzung mit Lebensumständen - die zuweilen sehr turbulent sein können. Man erinnere sich nur an den Tschernobyl-Schock und seine Folgen für den Alltag. (oft zitiert, nie kapiert!!)

Wenn die Fachwelt wieder und wieder ihre Neo-, Post-, und Nach-Moderne Diskussionen zelebriert, schwebt hoch darüber immer noch der Pathos einer „besseren Welt", die sich durch Architektur und Design akzentuiert. In Wirklichkeit wird sie weder besser, noch schlechter. Sie wird einfach nur anders!

Aber was man durch Architektur und Design durchaus bewirken kann, ist, daß sie sensibler und raffinierter wird, daß die so oft beschworene Humanität auch dort stattfindet, wo sie hingehört: In die Unzulänglichkeiten und Dummheiten des Alltags!

Manuskript vom September 1987

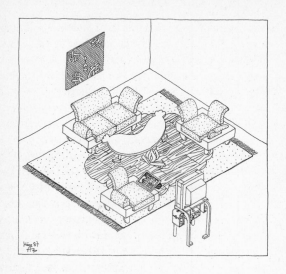

Geschichten

Auf einem Design-Symposium im letzten Jahr vertrat ich - anhand eigener Arbeitsbeispiele - die These, daß Möbel „Geschichten" provozieren oder möglich machen sollten. Baß erstaunt war ich dann, als in dem folgenden Vortrag ein Marktforscher dies begeistert aufgriff, ja sogar in seinen Thesen schon längst verarbeitet hatte. Und noch erstaunter war ich, als ein anwesender Möbelproduzent von seinen jüngsten Erfahrungen, bzw. Erfolgen berichtete. Der hatte nämlich, per Anzeige, „Antik"-Nachbauten in großer Stückzahl verkauft, und zwar - mit einer Geschichte: Da kam ein Designer während seines Frankreich-Urlaubs in einen netten alten Landgasthof und hatte sich sehr, sehr wohlgefühlt. Besonders die alten, von Jahrzehnten gezeichneten Möbel waren... usw. Darüber war ich so verdutzt, daß ich völlig vergaß einzugreifen und meine Thesen zu präzisieren. Sehr lehrreich das Ganze. Man vergißt ja in unseren introvertierten Berliner Hinterhöfen sehr leicht, daß das, was man tut, sich letzten Endes in einem großen marktwirtschaftlichen Rahmen bewegt, und daß, wenn man A sagt, andere B sagen oder schon gesagt haben. O.K.! Dann will ich mal das Wort „Geschichten" aus meinem Argumentations-Repertoire streichen. Es scheint mir doch etwas mißverständlich zu sein. Was ich eigentlich damit meinte, ist folgendes: Möbel oder Einrichtungsgegenstände sind von jeher ein Ausdruck kultureller oder familiärer Identität gewesen. Durch das vererbte Familienporzellan zum Beispiel saß man stets im Kreise einer eigenen Tradition, als ob die Urgroßmutter nie vom Tisch aufgestanden wäre. Gebrauchsspuren, Ergänzungen, Bezüge bereicherten ein in sich dynamisches Szenario. Dies funktionierte selbst noch mit der lächerlich verlogenen Fürstenpracht der bürgerlichen Gründerzeitwohnung, war sie doch noch wenigstens handwerklich solide gefertigt. Im Gelsenkirchner Barock zerbröselte dann - im wahrsten Sinne des Wortes - eine Illusion, und die Erbschaft war im Eimer. Und da sind wir dann schon bei dem angekommen, was unser Marktforscher unter „Geschichten" versteht. Wenn industriell gefertigte Produkte dem individuellen Bedürfnis nach Geschichte bzw. Entwicklung und Auseinandersetzung mit der Dingwelt nicht mehr nachkommen, dann muß man eben Geschichten erfinden und mit dem Produkt mitliefern! Fast-mood-furniture. Vorgekaute Hamburger.

Ich denke, daß Design heute in der Lage sein muß, historische, kulturelle und technologische Bedingungen zu reflektieren. Wobei Tradition nicht mehr gleichzusetzen ist mit historischer Kontinuität, sondern ein Kontinuum widersprüchlicher Ereignisse ist. Es ist unsinnig zu behaupten, daß wir in einer geschichtslosen Zeit leben und wir deshalb in unserer Objektwelt wieder historische, „bewährte" Vorbilder bemühen müssen - wie es so mancher Post-Moderne tut. Genauso unsinnig erscheint mir das manische Festhalten an den, vom positivistischen Fortschrittsglauben gebeutelten, glatten Flächen und „rationalen" Formen. Ihr gleichzeitiges Auftreten denunziert beide Positionen als Formalismus. Pomp hin, Zurückhaltung her, ich könnte nicht behaupten, das wäre alles grundlegend falsch, verdeutlichen sie mir doch, daß jeder gestaltete Gegenstand sehr viel mehr zu erzählen hat, als sich Schöpferin oder Schöpfer dachten. Je mehr ich darüber nachdenke, desto differenzierter betrachte ich meine eigene Arbeit als Gestalter. Und um so mehr glaube ich, daß jede neue Aufgabe, jeder neue Gegenstand einer neuen oder anderen Lösung bedarf. Alle Dinge werden, sobald sie mit Menschen Berührung finden, zur Ausstattung persönlicher Geschichten, Erinnerungen, Wünsche, Träume undsoweiter. So steht ein schwarzes Braun-Taschenfeuerzeug auf dem derzeitigen Siegespodest meiner liebsten Kulturbesitztümer neben einem asiatischen Billigplagiat einer goldenen Mondphasenuhr. Warum dies so ist, war bestimmt nicht eine Frage guten oder schlechten Designs, sondern nach dem Warum und Wieso, nach Bewußtem und Unbewußtem.

Nun gut, ich möchte daraus bestimmt nicht die Forderung nach dem Künstler-Designer ableiten - die Massenproduktion z.B. verlangt nach weit mehr als den individuellen Lösungen -, aber ich möchte mit meinen eigenen Arbeiten einen Beitrag zur Diskussion über die Bedeutung der Objekte in unserer Zeit leisten. Ich versuche Konfrontationen zwischen dem Benutzer und dem Gegenstand zu provozieren, um zu einer neuen oder anderen Betrachtungsweise, Benutzung bzw. Aneignung der Dingwelt zu gelangen. Daß der Stuhl, den ich entwerfe, nicht zusammenbricht, daß formale Entscheidungen einer inhaltlichen Begründung bedürfen, versteht sich von selbst. Darüber sollte man nicht mehr reden müssen!

Katalog „Berlin: Les avantgardes du mobilier" IDZ Berlin & CCI Paris 1988

Die Berliner Designszene
hat viele Gesichter

„Les avant-gardes du moblier: Berlin"

Betrachtet man heute die Berliner Design-Szene, so lassen sich, trotz der fast allen gemeinsamen Herangehensweise, mehrere Tendenzen ausmachen. Wobei gerade diese künstlerische Design-Auffassung - zunächst als Protest gegen die verhärteten Positionen des traditionellen „funktionalistischen Design" zelebriert - sich mittlerweile als eine selbstverständliche Disziplin der Gestaltung von Gebrauchsgegenständen und Möbeln entwickelt und sein Publikum gefunden hat. Aus den Freizeit-, Feierabend- und Untergrundrebellen sind Professionals geworden.

Wir wären schlecht beraten gewesen, die Ausstellung im Centre Pompidou 1988 als ein Sammelsurium „avantgardistischer" Absonderheiten, auf Sockel gestellt, dem Pariser Publikum unkommentiert zu kredenzen - das hilft keinem, die einen oder die anderen Standpunkte einzuordnen, geschweige denn

zu verstehen. Wir haben stattdessen versucht (durch diverse Videopräsentationen), den gesamtkulturellen Rahmen, innerhalb dessen das Gezeigte entstanden ist, gleichberechtigt in den Ausstellungszusammenhang zu stellen.

Gleichzeitig wurden die Unterschiede der Designauffassungen benannt - nicht als endgültige Schublade, sondern als Diskussionsgrundlage. Handwerkliches Design, Künstler-Design, Experimentelles Design, Konzeptionelles Design, Industrielle Kooperation. Im folgenden seien ein paar dieser Herangehensweisen beschrieben:

1. Handwerklich orientiertes Design

Mit dem Ende der Studentenbewegung endete auch der Glaube, daß die intellektuelle Auseinandersetzung mit der Gesellschaft grundlegende Veränderung bewirken kann. Es erfolgte eine erneute Zuwendung zur „Praxis".

Verstaubte Berliner Hinterhofwerkstätten wurden wiederbelebt: alte, schon verloren geglaubte Handwerkertraditionen wurden zu neuem Leben erweckt. Daß das Anfertigen kunststoffbeschichteter, glatter Schrankwände hierfür wenig Anreiz bot, lag auf der Hand. Also mußte der Handwerker auch wieder zum Entwerfer werden. So kann man heute wieder, anstatt ins Möbelhaus, in ein paar Berliner Tischlereien gehen und sich ein

persönliches Möbelstück bestellen. Individuelle Bedürfnisse werden mit individuellen Objekten befriedigt.

2. Experimentelles Design

Experimentelles Design versucht sowohl auf funktionaler als auch auf formaler Ebene neuen Lebensweisen und Technologien Rechnung zu tragen. Es steht zunächst nicht Produzierbarkeit oder Vermarktung im Vordergrund der Überlegungen, die zu einem Objekt führen, sondern das „auf die Spitze treiben" eines Gedankens. Es wäre falsch, solche Objekte immer an einem vermeintlichen Gebrauchswert zu messen, sind sie doch oft der Beginn einer Diskussion. Beim experimentellen Design geht es um das Ausloten neuer Möglichkeiten, die erst sehr viel später - vielfach in anderer Form - als Produkt auf dem Markt erscheinen.

3. Konzeptionelles Design

Ausgangspunkt konzeptionellen Designs ist die Frage nach dem Stellenwert der Gebrauchsgegenstände in unserer Zeit. Sozio-kulturelle und historische Überlegungen suchen nach archetypischen Erscheinungen, nach Mustern unserer Entwicklung und münden in gegensätzlichen Objekten oder „Grundschaltungen" bzw., dem Aufzeigen gangbarer Wege.

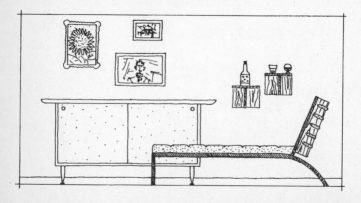

Hierbei ist eine Handlungsanweisung genauso als Design zu verstehen wie der Entwurf eines Objektes. Wenn das Design in der Vergangenheit oft in der Form eines elitären, erhobenen Zeigefingers gegenüber der Gesellschaft in Erscheinung trat (und mit moralischen Attitüden die vermeintlich bessere Welt beschwor), versteht sich konzeptionelles Design als Teil eines gesellschaftlichen Kontinuums, das allenfalls einen Moment beschreibt, um Weiteres zu provozieren.

4. Künstler-Design

Zwar gab es schon immer Künstler, die Gebrauchsgegenstände oder Möbel entworfen und gebaut haben, aber erst Anfang der 80er Jahre tauchten ihre Produkte in Design-Ausstellungen auf und waren plötzlich kaum noch zu unterscheiden von den Exponaten „richtiger" Designer.

Mittlerweile ist die Grenze fast vollständig verwischt; eine Art gemeinsamer Verzweiflungstat gegenüber der Gleichförmigkeit und Langeweile industrieller Produktion. Daß dies nicht einsame, individuelle Entscheidungen waren, sondern ihnen ein wachsendes gesellschaftliches Bedürfnis nach einer „aufregenden" Objektwelt zugrunde liegt, beweist nicht zuletzt die große Aufmerksamkeit der Medien und die wachsende Zahl an Design-Galerien. „Das ist ja ganz hübsch und richtig", sagt

der gestandene Industriedesigner, „aber nicht in Massen produzierbar." (denn da fängt für ihn Design erst an) „Hahaha", sagt da der Woolworth-Manager. „Ich verkaufe meine Murano-inspirierten Vasen und Figürchen schon seit 30 Jahren tonnenweise! Und ob das nun Kitsch oder Design ist, das soll doch - bitteschön - der Käufer selbst entscheiden." Richtig!.

Nachdem positivistisch gestimmte Design-Institution und -Persönlichkeiten uns jahrzehntelang eine „einzig richtige" Herangehensweise an Design zu oktroyieren versuchten (und damit großen Erfolg hatten), sind wir heute bei einer pluralistischen Auffassung angelangt. Die große Masse der Bevölkerung hat sich eh nie um die Axiome unserer „Eierköpfe" gekümmert.

So habe ich hier nur vier von vielen Design-Positionen beschrieben. Design hat viele Gesichter. (Gott sei Dank!)

Jahresbericht 1988, Internationales Designzentrum Berlin e.V. 1989

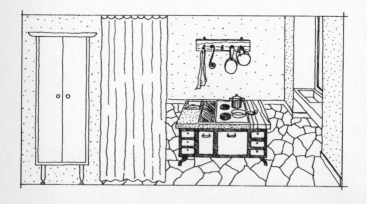

Als wäre alles schon auf wunderbare Weise dagewesen

Wenn man, im Zusammenhang von Kunst, heutzutage über die Alltagskultur spricht, ist immer die Rede von großen Gesten, auch wenn sie sich betont bescheiden präsentieren. Stereotype Abziehbilder scheinen Gemeinsamkeiten auf den Punkt zu bringen. Radikalität zeichnet sich oft durch das ungeschminkte Benutzen oder zur Schau stellen des Gewöhnlichen aus. Punkt! Als wären das Bemerkenswerteste unserer Existenz unsere schlechtesten Gemeinsamkeiten. Als Kritik leuchtet das ein, als Hymne fällt dies meist als Koketterie aus. Es ist eben nicht jeder ein Andy Warhol.

Auch die Untersuchungen der „Gegenwarts-Anthropologen" versuchen Raster im Alltäglichen auszumachen, um das Wirrwarr momentaner Wahrnehmungen und Ereignisse durchleuchten zu können. Als Essenz präsentieren sie uns dann Szenarien der „Normalität", bestückt mit Möbeln, Accessoires, Gerüchen, Musik etc.... Moden, Meinungen, Haltungen. Was soll man dazu sagen? Es hilft uns kaum, die Winkelzüge unserer Psyche, Vorlieben, Abneigungen oder Allergien zu verstehen. Ich den-

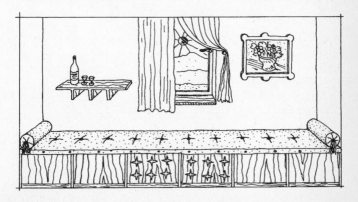

ke, daß alle Gegenstände um uns herum erst dann eine Bedeutung erlangen, wenn sie zum Inventar persönlicher Geschichten geworden sind. Dies läßt sich nur sehr schwer kategorisieren und die Werkzeuge ihrer Dechiffrierung gehorchen Gott sei Dank nicht gesellschaftlich determinierten Gesetzmäßigkeiten. Wenn sich meine Mutter einen barockesquen Beistelltisch kauft, so mag dies der Alltagsforscher als nostalgische Zeiterscheinung gepaart mit einem Schuß Gegenwartsangst denunzieren; für sie wird er, bestückt mit Fotografien und persönlichen Erinnerungen, zu einem unverrückbaren Monument eigener oder familiärer Identität. Wie wichtig uns solche Plätze sind kann ein jeder bei sich selbst feststellen. Ästhetik spielt hierbei eine sehr vertrackte Rolle, entwickelt eine Dynamik, die uns oft an ungekannte Ufer treiben würde - wenn da nicht das große Sieb gesellschaftlicher Konvention vorgeschaltet wäre. Die Wirksamkeit dieses Siebes steigt mit dem Grad unserer Bildung oder unserer gesellschaftlichen Stellung und es bedeutet harte Arbeit, will man davon unberührt bleiben.

Hat der Mensch es erreicht, seine Phantasien in typologisch geordnete Ablagefächer zu stecken, ist er erwachsen. ALLENFALLS IN SEINEN Träumen erkennt er, zu seinem Erschrekken, die Fülle seiner verwirrenden Wahrnehmungen und erfährt sowohl Lust als auch Qual - am Morgen danach wird das dann belächelt und schnell zur Tagesordnung übergegangen.

Hier fängt die Arbeit der Louvre Boutique an. Jetzt noch mal ganz anders angesetzt: Begründet sich der Marienkult in der Verehrung der Jungfrau Maria oder ist der Marienkäfer der Anlaß unserer Hingebung? Oder wollte uns Maria durch den Marienkäfer an sich selbst erinnern? Oder ist er einfach nur schön, weil er rot und schwarz ist? Oder weil er für uns geflogen ist, während unsere Väter im Krieg waren? (Der Krieg war natürlich schon lange vorbei, und unsere Väter waren nur auf Arbeit, aber geflogen ist der wie verrückt - und wir waren entzückt!)??? Aber Moment mal... das war doch der Maikäfer der da geflogen ist... natürlich! ...wie könnte man denn Glück brin-

gen, während andere im Krieg sind! Auf alle Fälle ist er überall da, in der Konditorei, im Spielwarengeschäft, im Juwelierladen, auf Postkarten ... und in der Louvreboutique.

Ein Tisch ist dazu da, Fotografien zu tragen, oder mit Zuckerguß überzogen zu werden. Hemden freuen sich, Patty Hearst und dem Sandmännchen als Spielwiese zu dienen - ohne Winnie Mandela ausschließen zu müssen. Die Nähmaschine schneidert uns Kleidung aus Fotos mit geheimen Informationen oder Bilder aus vermeintlich anderen Welten; die Schnitte hat sie den Beilagen alter Burda's entnommen. Portraits weiser Männer aus vergangenen Tagen lösen sich punktförmig auf, um sich für einen Augenblick - oder für immer - auf liebevoll gebatikten Vorhängen niederzulassen.

Texte, die uns blenden, lassen uns - hocherfreut - die Annehmlichkeiten der Tiermädchenpost in Anspruch nehmen. „Aus allen Ecken weht der Atem des Pullunderbeermädchens."

.Katalog Louvre Boutique, Oliver Koerner v. Gustorf und Ogar Grafe, Ausstellung im Künstlerhaus Bethanien, Berlin 1989

Die Prager Designzeitschrift DOMOV fragt Andreas Brandolini

— *Was ist Ihnen am Wichtigsten, wenn Sie ein Möbel designen: Die Funktion, die Ästhetik (wie es aussieht) oder die Technologie (wie es gemacht wird)?*

Ich glaube, daß es am wichtigsten ist, Design immer in einem gesamtkulturellen Zusammenhang zu sehen. Auf diese Weise werden die Fragen nach Ästhetik, Technologie oder Funktion immer wieder neu gestellt und finden, je nach Aufgabe, immer eine spezifische Ausprägung.

— *Was ist mit der Intuition, wenn Sie arbeiten?*

Intuition, Phantasie, Kreativität usw. sind, meiner Meinung nach, immer Resultate rationaler Prozesse. Ich designe nie einfach nur so, sondern es gibt immer einen wohlüberlegten Grund, Dinge so oder so zu machen. Zuerst ist da eine gesellschaftliche Absicht und dann kommt die Form.

— *Welches Material bevorzugen Sie denn, wenn sie Möbel entwerfen?*

Ich mag fast alle Materialien. Entscheidungen fälle ich nach vorher genannten Überlegungen.

— *Glauben Sie, daß ein Möbelstück mehr als Funktion und Ästhetik in sich bergen muß?*

Ja. Ich möchte mit meinen Möbeln einen Beitrag zur Diskussion von Objekten in unserer Zeit leisten. Ich versuche eine Konfrontation zwischen dem Benutzer und dem Objekt zu provozieren, um eine andere Form der Benützung und Aneignung der Dingwelt zu erreichen.

— *Was würden sie am liebsten designen und was nicht?*

Am liebsten würde ich Vogelhäuser designen. Am wenigsten mag ich Lampen, weil es sich meist um formale Spielereien handelt - mehr Skulptur denn Funktion. Das schönste Licht ist die Sonne - und wenn sie untergeht - ist es eben dunkel.

– Was halten Sie vom individuellen, experimentellen und dem Künstler-Design. Gibt es dafür Kunden in der Bundesrepublik?

Als Experiment finde ich „Autoren-Möbel" ungeheuer wichtig. Sie bedeuten ein Ausloten formaler und funktionaler Möglichkeiten und das Eingehen auf eine spezielle kulturelle Situation schult den Blick für Besonderheiten. Gerade für solche „Autoren-Möbel" hat sich in den letzten Jahren in der BRD (auch im westeuropäischem Ausland) ein immer breiteres Interesse (auch Kaufinteresse) gebildet.

– Wie sehen Sie die Zukunft des Möbel-Entwerfens? Ist es die Massenproduktion oder kleinere Kollektionen? Oder wird es das experimetelle Design für den individuellen Benutzer sein?

Ich denke, daß in Zukunft nicht nur die westeuropäischen Länder immer mehr zusammenrücken (gemeinsamer europäischer Markt), sondern auch das Verhältnis zu den sozialistischen Staaten offener und austauschfreundlicher wird. In dieser Situation der Gemeinsamkeiten werden nationale oder volkspezifische Besonderheiten immer wichtiger. Man sollte sich gut verstehen, gerade weil der Andere anders ist. Das bedeutet für das Design, daß es sich mehr auf seine nationalen Ursprünge beziehen sollte. Als Dogma würde ich dies allerdings ablehnen; als Denkansatz beschäftigt es mich sehr.

– Glauben Sie, daß einige Möbel oder bestimmte Objekte einen grundsätzlichen Wandel in ihrer Funktion oder Ästhetik in Zukunft durchmachen müssen? Wie könnte das aussehen?

Jeder Mensch und jedes Ding braucht von Zeit zu Zeit eine kleine Revolution oder eine (tief-)greifende Veränderung. Manchmal ist es auch nur, daß Dinge, die wenig beachtet wurden, plötzlich sehr wichtig werden. Oder manchmal muß man auch nur so tun, als ob alles ganz anders sein müßte, um den Mitmenschen die Augen für andere Lösungsmöglichkeiten zu öffnen. Heute würde ich sagen, daß das ganze Problem der Büromöbel einer kleinen Revulotion bedarf. Schließlich verbringen wir fast den ganzen Tag dort und ich habe den Eindruck, daß sowohl der Mensch, als auch die Möbel wie Maschinen behandelt werden.

– *Wieviel Zeit vergeht zwischen Entwurf und Realisation, Produktion und Verkauf eines Objektes? Wie lange sind Sie damit beschäftigt?*

Das kann ich nicht generell beantworten. Es reicht von einem Tag (ready-made) bis zu einem halben Jahr (z.B. bei einer Restaurant-Einrichtung) Ich bin aber bemüht, die Spanne so kurz als möglich zu gestalten.

– *Wen würden Sie als Ihr Vorbild im Möbeldesign bezeichnen?*

Da gibt es viele: Die Shaker, Eileen Grey, A. Branzi, Mendini, Mollino, in gewissem Sinne auch Raimond Loewy und... viele mehr. Mich interessieren hierbei weniger formale Aspekte, als wie konzeptionelle.

– *Kennen Sie tschechoslowakische Möbeldesigner der Gegenwart oder Vergangenheit? Glauben Sie, daß es spezifische Eigenheiten gibt?*

Atika natürlich, aber ich kenne auch Designer/Architekten aus den 20er Jahren durch Publikationen des „Werkbundes". Wobei ich immer fand, daß sie eine gewisse „Eigenheit" haben. Dasselbe gilt auch für die Arbeiten von Atika.

– *Glauben Sie, daß ihre Arbeiten nationale Züge tragen? Wenn ja, was könnte das sein?*

Es ist schwer, sich selbst in einem nationalen Rahmen zu beschreiben - vor allem, wenn man aus Deutschland (mit seiner deprimierenden Vergangenheit) kommt. Aber dennoch beziehe ich mich in vielen meiner Arbeiten auf kollektive Erfahrungen. Es gab in Deutschland schon immer die Neigung, Probleme zunächst intelektuell zu erfassen, um daraus „grundsätzliche Lösungen" zu entwickeln. Dies hat, im Falle des „Dritten Reiches" zu schmerzlichen Lösungen geführt. Betrachte ich aber z.B. das Bauhaus oder die Hochschule für Gestaltung in Ulm, so hat dieses Denken durchaus Positives bewirkt. Nun bin ich zwar nicht ein Anhänger dieser „grundsätzlichen" Ideologien, versuche aber trotzdem in meiner eigenen Arbeit nicht nur einen formalen, sondern auch intelektuellen Beitrag zu leisten. Möbel beinhalten immer mehr als nur Form und Funktion, sie sind auch Träger einer Kultur. Ich lebe und arbeite in Deutschland und werde mich diesem Einfluß wohl kaum entziehen können. Es ist mir aber sehr wichtig, dies nicht blind, sondern „über den Kopf" zu tun.

— Glauben Sie, daß Möbel Emotionen hervorrufen, ein Interesse und Verlangen nach Handlungen provozieren sollen?

Ja!

— Müssen Ihre Möbel, für ein öffentliches Ambiente zur Architektur eines Gebäudes passen oder unabhängig sein?

Das hängt sehr davon ab, für welchen Zweck die Einrichtung dienen soll. Sie kann auch formal völlig divergent sein, sollte aber die Struktur des Gebäudes nicht verdecken, d.h., als Inszenierung deutlich bleiben. Ich finde es manchmal sehr spannend, wenn unterschiedliche Auffassungen in einem Gebäude präsent sind, ohne sich zu bekämpfen. In diesem Sinne entspricht dies meinem Weltbild von einer „reichen" Gesellschaft.

Brandolini - Büro für Gestaltung / Polstermöbel "Art-Fair" / April '89

84

Design als Dienstleistung

Über das „Seating-project" für die Art-Frankfurt 1989

Lieber Edelmann!

Jetzt habe ich es doch noch geschafft, Dir die Zeichnungen ein-zutüten. Das Projekt geht auf einen Vorschlag von Utilism International (in Zusammenarbeit mit der Agentur Soukup, Krauss) zurück, die Kunstmesse mit »Design (Dienstleistungs)-Facilities« zu versorgen. Gedacht war an Getränke, Information, Barbier, Schuhputzer, Money-Changer, Essen...
Wir hatten hierfür eine Art Holz-Skelett-System entwickelt, welches sowohl formal als auch funktional unterschiedlichste Ausbaumöglichkeiten bieten sollte. Wir wollten große Firmen dazu gewinnen, die Sache in dem Sinne zu sponsern, daß sie mit Design (mit internationaler Beteiligung) und Gratis-Dienstleistungen für sich, beziehungsweise ihre Produkte werben. Interesse wurde von mehreren Firmen bekundet, aber - nicht zuletzt aus Platzproblemen (die Messe wurde plötzlich mit unerwartet vielen Anmeldungen konfrontiert) - ist die Sache gestorben. Übriggeblieben ist nun das »Seating-Project«, bei dem wir versuchen, »Design« nicht als Ausstellungs- oder Kunstspektakel zu präsentieren, sondern als eine selbstverständliche Dienstleistung, deren Ziel nicht noble Unauffälligkeit, sondern Vielfalt ist. Der einzige Anhalt, den wir den Designern boten, war die Forderung, daß es sich bei den Sitzgelegenheiten um »museum-type-benches« handeln soll - was angesichts der vielen Museumsneugründungen auch einen durchaus kommerziellen Charakter bekommen könnte. Auch hier haben wir versucht, Möbelhersteller für ein Sponsoring zu begeistern - bekamen aber - wegen der mittlerweile zu kurzen Zeit - nur Absagen, gute Wünsche, viel Interesse und so weiter

(einzig die Firma Eugen Schmidt aus Darmstadt hatte sich bereit erklärt, mir bei meinen »klassischen« Ruhemöbeln die Polsterarbeiten zu erleichtern. Vielen Dank an dieser Stelle!). Im Moment sieht es so aus, daß Philip Morris einen Teil der Produktionskosten trägt, alles andere wird von der Kunstmesse getragen. Die Designer organisieren die Produktion ihrer Entwürfe selbst. Es werden Sitzgelegenheiten für zirka 120 Personen gebaut.

Zum Schluß noch etwas über Utilism International. Wir sind eine projektbezogene, lose Arbeitsgruppe, die international »Design-Services« anbietet. Wie man an dem »Seating-Project« sieht, sind wir nicht der Meinung, daß wir alles selber entwerfen müssen - an Stil- oder Gruppenbildung haben wir kein Interesse. Wir wollen den Begriff der »Utilität« als ein Vehikel zur Entwirrung der von nicht mehr zu verstehenden »Ismen« beherrschten Design-Diskussion einbringen, wobei sozialkulturelle, ökonomische und andere Fragen Berücksichtigung finden sollen und müssen. Daß wir dies mit einem neuen »Ismus« behaften, mag man dahin deuten, einen Schlußpunkt hinter Ein- und Ausgrenzungen setzen zu wollen. Die Richtigkeit von Designkonzeptionen sollte man immer in ihrem gesellschaftlichen Kontext messen, und der ist bekannterweise selten homogen (Gott sei Dank!).

So, das wär's auf die Schnelle.

Viele Grüße und ein Schlachtruf als Nachschlag

»Utilism against Uselessnism!«

Design Report, Sonderausgabe zur Art Frankfurt 1989

Utilistische Installationen
auf dem Fischplatz - Graz

Der Fischplatz - so scheint es - ist gar nicht da.

Allenfalls den dürstenden Autos bietet er Nahrung und Pflege oder eine erquickliche Rast in seinem Bauch. Sie kennen und lieben ihn, denn hier werden sie noch als das behandelt, was sie einst waren: komplizierte technische Maschinen, die zu beherrschen der Mensch einiges Geschick aufbringen muß. Durch eine enge, kurvige Schlucht manövriert er sie hinunter in den Bauch des Platzes. Dicht gedrängt stehen viele andere Maschinen (die family, wie sie mein Datsun nennt), da heißt es aufgepaßt! Hier wird nicht gerempelt, sondern durch Geschick sich der Fahrererlaubnis würdig erwiesen.

Jetzt noch etwas strategisches Denken bei der endgültigen Stellplatzsuche (wenn A vor B, und C vor D wieder wegfährt, dann muß ich...), den Schlüssel an der Kassa dem Stallknecht gegeben - er wird die Maschinen während der Abwesenheit ihrer Besitzer rangieren - und dann hinauf zum Shopping.

Man ist ja schon so gut wie im Zentrum. Ich finde das großartig! Man wird sich hier bewußt, daß die individuelle Fortbewegung eine Errungenschaft ist, die mit persönlichen Konsequenzen oder Umständen behaftet ist, und genießt den Erfolg dies alles gemeistert zu haben.

Auch die großen Fortbewegungsmaschinen des öffentlichen Verkehrs, die Busse, haben auf diesem Platz ihren Treffpunkt gefunden. Hier wird er für die Landbevölkerung zum Tor in die Stadt. Die Staßenbahn bietet ihre Dienste für weitere Exkursionen an. Ein großes Bankgebäude sorgt dafür, daß die über den Platz geschleusten Menschen genügend Geld in den Taschen haben, den Umschlag der Waren in der Stadt zu beschleunigen.

Ein elegantes Verwaltungsgebäude der Städtischen Verkehrsbetriebe demonstriert die Potenz der Kommune. Entlang der

Mur fluten Autos - als Platzbegrenzung - , denen die Innenstadt verboten wurde. Und die Mur? Die flutet inkognito. Weil sie stinkt? Genau! In Graz wird von der Mur gesprochen, als wäre dies ein Fluß gewesen, der vor vielen, vielen Jahren einmal durch die Stadt geflossen ist, dann aber plötzlich (durch üble Machenschaften) verschwand.

Genauso ist es dem Fischplatz ergangen. Wo keine Mur ist, gibt es auch keine Fische! Und wo keine Fische sind, gibt es auch keinen Fischplatz. Also: Anreas Hofer Platz! (Ich kenne nicht die Gründe der Umbenennung, aber aus der Distanz sieht das so aus.)

Plätze wie diesen gibt es auf der ganzen Welt. Sie sind durch Brände, Kriege, Naturkatastrophen, Finanzspekulationen etc. entstanden.

Ist so ein städtischer Raum von seinem kulturellem „Erbe" befreit, entwickeln sich hier die unterschiedlichsten gesellschaftlichen oder individuellen Interessen. Die blühen, wachsen oder dümpeln jahrzehntelang vor sich hin, nur manchmal, verunsichert von gesamtplanerischer Hand - und werden so zu einem dreidimensionalen, lebendigen Chronometer.

Aber dann, es scheint zyklisch aufzutauchen, tritt ein „Zeitgeist" auf den Plan. Der fordert mit aller Macht, die Fehler der Vergangenheit - und zwar der nicht allzu fernen - zu beseitigen. (Ist es, weil der Boden verbraucht und eine neue Bewirtschaftung verlangt?)

Ekel überkommt den Grazern beim Anblick des Fischplatzes, des Jakomeniplatzes usw... Erinnerungen werden wach. Ja, früher! Die sensiblen Architekten beschwören die Schönheit toskanischer Städte. Die radikalen Gestalter fordern forsch die totale Modernität. Die Jodler wollen so jodeln, wie es ihre Großväter getan haben. Kommunalpolitiker streichen Fassaden zuckerlrosa an, weil der Zyklus dieses Mal (Gott lob!) nicht „Krieg" heißt und sie deshalb viel Zeit haben.

Der Fischplatz, mit angrenzender Mur, ist also ein hervorragendes Objekt, einen Umgang mit städtischem Raum zu demonstrieren, der nicht mit Mitteln des Stils oder Geschmacks eine völlig neue (oder alte) Situation erzeugt, sondern das, was er vorfindet, nochmals in Besitz nimmt.

Nicht putzen, verhübschen oder rekonstruieren. Die Geschichte des Ortes und seinen jetztigen Zustand akzeptieren, um dann immanente Veränderungen vorzunehmen oder neue Möglichkeiten zu eröffnen: Dies ist ein behutsames und radikales Vorgehen zugleich. Behutsam, weil man versucht, das Gewachsene zu erhalten. Radikal, weil man die Stadt und ihre Häuser als ein permanentes Provisorium betrachtet, das ständig bearbeitet werden kann.

Manuskript 1989, Vorschlag für den Steirischen Herbst 1990 in Graz

Das vorliegende Stadtgestaltungsprojekt für den Bezirk Mariahilf in Wien ist im Juni 1989 auf Vermittlung von Peter Teichgräber und Dietmar Steiner aus dem Kontakt der privaten „Initiativgruppe Mariahilf" und einem Treffen von zwölf europäischen Architekten und Designern in der prodomo entstanden. Das Gebiet rund um den Fritz-Grünbaum-Platz hat die Teilnehmer des Meetings „Rastlos 82/89" über vier Monate in ihren Heimatstädten und während drei Wochenenden in Wien beschäftigt.

Ausgehend von der Verschiedenartigkeit der gebauten Formen eines historisch gewachsenen Stadtteils, war die kosmopolitische Vielfalt der Betrachtungsweisen die Basis der Lösungsvorschläge für dieses Stadtviertel. Sieht doch ein Architekt aus London oder Mailand diese Stadt mit anderen Augen als der hier lebende, entdeckt eher ihre stillen Qualitäten und kann eher helfen, die Reize des Bezirks, dieses jahrhundertealten Zeitspeichers, zu entdecken und neu zu beleben. Das ist die Chance dieses Projektes.

Text von Eichinger oder Knechtl, Einleitung im Katalog Rastlos 89, Wien

Rastlos 82/89 Wien

Jedes Stadtquartier hat seine eigenen Entwicklungsgesetze. Aufschwung oder Niedergang sind nur selten das Ergebnis planerischer Aktivitäten. Die freie Ökonomie bietet Raum für individuelle Aktivitäten (im Sinne von wirtschaftlichem Handeln oder Wohnen). Sie kann dies einschränken oder auch wieder wegnehmen. Es ist ein Wechselspiel unterschiedlichster Interessen. Der Aufschwung des Einen kann den Niedergang des Anderen bewirken und umgekehrt. Das Haus, welches dem Reichen eine armselige Hütte ist, bedeutet dem Armen ein Palast - nicht nur weil es billig ist, es bietet Raum für selbstbestimmte Aktionen. Die Beziehungen zwischen all den unterschiedlichen Interessen sind einfach und kompliziert zugleich. In diesen Zusammenhängen degeneriert der Stadt-Gestalter meist zum Dekorateur.

Aber wenn wir Stadtgestaltung als ein demokratisches Instrument verstehen, müssen wir nach dem wirklichen (eigentlichen) Gebrauch des öffentlichen Raumes fragen - was erst in zweiter Linie ein ästhetisches Problem darstellt. Es ist mehr die Frage, wie man diesen Raum organisiert und wie man seine Bewohner mit Utilitäten versorgt, die ihrer Umgebung und Bedürfnissen angepaßt sind. Das fängt ganz einfach an: Wenn nicht jede Hausecke nach Urin duften soll, dann muß man eben annehmbare öffentliche Örtlichkeiten - in ausreichender Zahl - zur Verfügung stellen.

Das wäre schon einmal eine kleine Hilfe. Unspektakulär, aber effizient.

Wenn ein schöner Park zu gefährlich für Nachtspaziergänge ist, braucht er mehr Licht und vielleicht so etwas wie ein Tanzcafé, damit möglichst viele Menschen auch abends einen Grund finden, diesen Ort aufzusuchen. Wenn solche Aktivitäten einmal angefangen haben, kommen andere ganz von selbst, -auch im kommerziellen Sinne. Wie diese, können wir viele Möglichkeiten finden, die Bewohner von „Mariahilf" mit sinnvollen Aktivitäten zu versorgen:

- Ein Grundmodul-System für Toiletten, Haltestellen, Imbiß, Kioske usw. Es sollte sich hierbei nur um eine Grundstruktur handeln, die individuell ausgefüllt werden kann.

- Um den Flakturm sollten sich kleine Häuser (Parasitärarchitektur) befinden, die dem Handel und dem Entertainment dienen.

- Es sollte eine Möglichkeit geben, auf das Dach des Flakturms zu gelangen, ohne das triste interne Treppenhaus zu benutzen. Z.B. mittels eines Sessellifts?

- Außer diesen Utilitäten, die in erster Linie der örtlichen Bevölkerung dienen, sollte es noch andere Örtlichkeiten oder Angebote geben, die eine Anziehung auf noch mehr Menschen ausüben.

Sie sollten leicht zu verstehen und zu erinnern sein.

a) Der „Bundesländer-Platz" sollte sowohl die Fahne Österreichs als auch die der Bundesländer hissen. Permanent sollten hier politische und andere Nachrichten aus den verschiedenen österreichischen Regionen verbreitet werden. Man sollte hier die Zeit, den Wetterbericht, Sportresultate etc. erfahren können.

b) Ein Strohhut mit der Form des Flakturms dient sowohl der lokalen Identität alsauch den Fremden als Souvenir.

Esterhazypark
Der Berg, Die Seilbahn, Das Souvenir, Das Tanzcafe
Wien hat nur zwei hohe Türme, die seinen zahlreichen Touristen eine Aussichtsplattform bieten: Der Stephansdom und der Fernsehturm. Gleichzeitig harren - beschämt ignoriert - zahlreich Flaktürme einer öffentlichen Benutzung. Sie sind zu Bergen eines politischen Vermächtnisses geworden. Alle Versuche, sie zu beseitigen, scheiterten entweder an technischen Randbedingungen oder an der Finanzierung. Was der Gesellschaft einst wert und teuer war (Die Platten für Marmorfassa-

den lagen schon bereit!), ist heute - nachdem eine gesellschaftliche Vision in Trümmer fiel - nicht mehr der Fürsorge wert.
Selbst ein kostspieliger Abriss - gewissermaßen als Sühne oder
als öffentliches Bekenntnis, die Gewalt als politisches Mittel zu
verbannen - ist ihr zu teuer!

Aber man sollte sie auch nicht abbrechen. Was geschehen ist,
ist geschehen!

Sie sollten, genau wie alle anderen Baudenkmäler der Stadt,
Orte der Auseinandersetzung mit Geschichte werden. Die Faszination des Krieges, Wehrhaftigkeit, Strategie und das Gefühl,
einem Schicksal ausgeliefert zu sein, dessen einziges Korrektiv
die Gewalt ist, erschließt sich dem Betrachter, wenn er auf der
Spitze des Flakturms steht. Rastlos suchen seine Augen den
Horizont nach feindlichen Fliegern ab, das Vorhandensein weiterer Schutz- und Trutztürme und meterdicke Betonwände er-
wecken Kühnheit und das einst Geschehene wird als emotiona-
le Dimension verständlich.

Die Realität des Krieges offenbart sich bei einer Erkundung
ins Innere: nach unten. Was von oben große Gefühle produziert, verkommt im Inneren des Turmes zu größter Trostlosig-
keit. Hier gibt es nichts mehr, als nur Betonwände, ohne Fenster und die alleinige, nackte Existenz. (Unverständlich, daß
ausgerechnet hier mit dem „Haus des Meeres" ein Tier-Knast
für Sympathie mit der Natur wirbt. Es sollte auf alle Fälle aus-
gelagert werden!!!)

Der Flakturm könnte zu einer touristischen Attraktion werden, die sowohl Spaß (mit der Seilbahn hinauffahren, die Aus-
sicht geniessen), als auch Besinnung und Auseinandersetzung
mit der Gewalt als politisches Mittel, seine Besucher erleben
läßt.

Ein Strohhut mit der Form des Flakturms läßt die Erinnerung
an den Besuch, als Souvenir, symbolisch mit nach Hause nehmen.

Für den täglichen Benutzer des Esterhazyparkes sieht die Sache - in Augenhöhe - etwas anders aus. Die schäbigen Beton-

wände des Turmes und seine weiträumig asphaltierte Basis dominieren die Szenerie. Die vermeintliche Erholung, die der Park spenden soll, gerät latent zur Bedrohung. Eine Parasitärarchitektur rundum der Turmbasis könnte dem Abhilfe schaffen. Hier wäre Platz für eine Eisdiele, Kaffeehaus etc....

Oder ein Tanzcafe (für Soulseduction etc.) könnte den Park auch nachts nicht nur für Sandler attraktiv machen.

Bundesländerplatz

Plätze werden in der Regel durch ihre räumliche Begrenzung definiert. Wo dies nicht der Fall ist, muß man sich etwas anderes einfallen lassen.

Der zukünftige Bundesländer-Platz ist momentan eine Straßenkreuzung: nichts mehr - nichts weniger. Sperrt man die Schadekgasse für den motorisierten Verkehr, entsteht zumindest eine Fläche, die - bestückt mit einem „Zeichen" - so etwas ähnliches wie einen Platz darstellen könnte. Denn auch Zeichen (oder Denkmäler etc.) können, wenn schon nicht räumlich, so doch emotional/psychologisch das Gefühl eines Platzes erzeugen.

Aber dies wäre, in unserem Fall, zu wenig: zu klein wäre der effektive Gewinn für Besucher und Bewohner des Quartiers.

Also schlage ich eine Arkadenbebauung vor, die der Information und „dem sich treffen" ein Dach bietet. Hier bestünde die Möglichkeit einer Erweiterung des Cafe Ritter (mit Gastgarten in Richtung Schadekgasse), Zeitungen, Eis oder Tabak könnten hier erworben werden und installierte elektronische Laufschriften würden mit den täglichen Nachrichten aufwarten. (Man könnte auch damit eine drohende Modernisierung des Cafe Ritter verhindern, indem man die Erweiterungsmöglichkeit an die Forderung bindet, den jetzigen Zustand des Cafehauses zu konservieren.)

Der Name „Bundesländer-Platz" ist untrennbar mit einer politischen Intention verbunden. Dies sollte zeichenhaft demonstriert werden! Die Souveränität der Bundesländer, sowie die

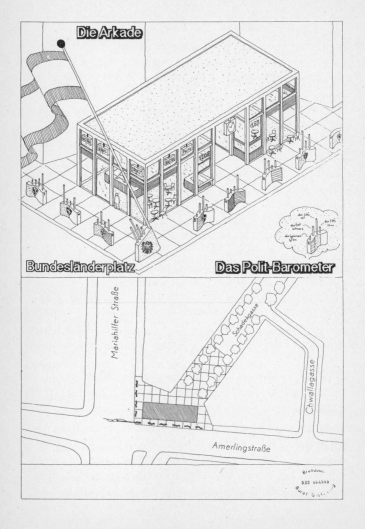

gemeinsame Vertretung unter einer Fahne, sind die Gestaltungselemente des Platz-„Zeichens". Neun kleine Fahnen und eine große.

Und auch hier wäre mir dies zu wenig. Ist es doch nur eine Geste oder eine Absichtserklärung. Wir alle wollen es doch genauer wissen! Wie sieht es denn in den Bundesländern konkret aus? Wie sind die Zusammensetzungen der Parlamente. Wie sieht das im Vergleich aus und wie als Ganzes?

Normalerweise beschäftigen wir uns mit diesen Fragen nur an Wahlabenden und vielleicht noch ein paar Tage danach. Da freuen oder ärgern wir uns. Und dann wird die Sache so schnell wie möglich wieder vergessen. Also müssen die Fahnen noch eine weitere Aufgabe übernehmen: Sie werden zum Polit-Barometer. Es entwachsen ihnen Stangen, die der jeweiligen Partei und ihrem Parlamentsanteil Ausdruck verleihen. Rot, Schwarz, Grün, Blau,?,...

An jedem Wahltag kommt der Ombudsmann und justiert die Sache neu ein. Jetzt haben wir jeden Tag, kommen wir am Bundesländerplatz vorbei, Gelegenheit, Politik zu sehen. Wir werden ständig daran erinnert, daß unsere politischen Verhältnisse das Ergebnis von Wahlen sind. Oder, daß sie es nicht sind. Oder... Der Platz ist politisch!

Die Zapfstelle
Jede Stadt hat ein weitverzweigtes Netz unterirdischer Dienstleistungen. Baut man ein Haus und stellt einen entsprechenden Raum (Hausanschlußraum) zur Verfügung, kommt man in den Genuß - gegen Entgelt - diese für sich in Anspruch zu nehmen. Versucht man den sogenannten „öffentlichen Stadtraum" für seine Aktivitäten in Betracht zu ziehen und will sich dafür dieser Dienstleistungen bedienen, gestaltet sich das äußerst kompliziert. Da müssen diverse Anträge gestellt werden, die Erde aufgerissen oder aufwendige Behelfskonstruktionen errichtet werden. Dies alles kostet Zeit und Geld und läßt es wohl überlegt sein, ob es denn wirklich dieses Aufwandes lohnt oder be-

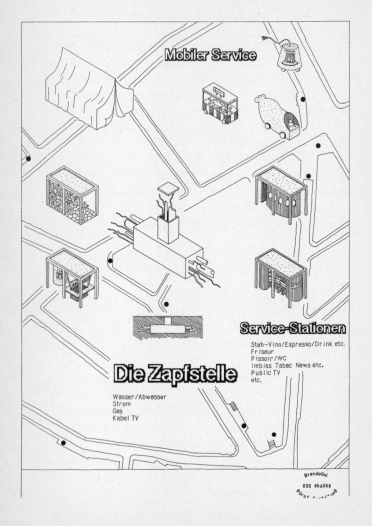

Mobiler Service

Service-Stationen

Steh-Vino/Espresso/Drink etc.
Friseur
Pissoir/WC
Imbiss Tabac News etc.
Public TV
etc.

Die Zapfstelle

Wasser/Abwasser
Strom
Gas
Kabel TV

Brandolini

030 654558

Büro...

98

darf. So manche Aktivität bleibt frommer Wunsch und der öffentliche Raum beim Alten.

Gerade heute, wo allerorten von der „Revitalisierung" der Städte gesprochen wird, könnte eine Lösung dieses Problems ein - zunächst unauffälliger, aber effektiver - Schritt sein.

Ich schlage ein gut positioniertes Netz von Zapfstellen vor, die es auf unkomplizierte Weise ermöglichen, die städtischen Angebote wie: Wasser, Abwasserbeseitigung, Gas, Strom, Telefon, Kabel-TV etc. zu benützen. Es wäre vorstellbar, ähnlich den Telefonkarten, über Magnetkarten die Bezahlung dieser Leistungen zu regeln. Temporäre Aktivitäten (z.B. Straßenfeste), Kleingewerbe, -gastronomie oder Public-Service könnten damit ermutigt bzw. gefördert werden.

Denkbar ist das System in zwei Stufen. Zunächst die ins Pflaster/Asphalt eingelassene Platte, die, hochgehoben, die Anschlüsse freigibt und über eine Magnetkarte aktiviert. Als weiters Angebot gibt es eine standardisierte Kleinarkade, die individuelle Ausbaumöglichkeiten bietet.

Manuskript, 1989

***

Der gestaltete Gegenstand

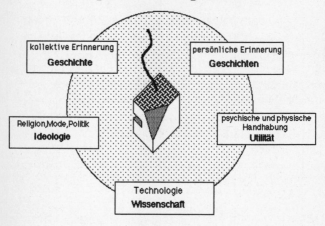

kollektive Erinnerung
Geschichte

persönliche Erinnerung
Geschichten

Religion,Mode,Politik
Ideologie

psychische und physische
Handhabung
Utilität

Technologie
Wissenschaft

als das Ergebnis einer assoziativen Empirie

Im August 1990 erscheint:

**„Kreuz der Sinne, Krieg der Augen
von Heinz Emigholz"**

Herausgeber und Verlag Martin Schmitz

Bereits erschienen sind
im Oktober 1989:

„Die allerallerschönsten Inter-
views von Wolfgang Müller
(Lehrmeister aus der Schule der
Tödlichen Doris)
und BAT, Das Buch zur Schallplatte
von Wolfgang Müller"

Herausgeber und Verlag Martin Schmitz

Friedrich II., Landgraf von Hessen Kassel, war ein Freund und Förderer der schönen Künste. Mit dem Bau des Museums Fridericianum schuf er das erste für alle Bürger zugängliche Museum auf dem europäischen Kontinent. Aber auch auf sozialpolitischem Sektor war er seiner Zeit weit voraus.

Nachdem er „in gnädigste Erwegung gezogen, daß bey entstehenden Feuersbrünsten die dadurch betroffenen Einwohner in Städten, Flecken, Dörfern, auch einzelnen Höfen öfters ganz außer Stand gesetzt werden, sich wieder zu helfen," gründete er anno 1767 die Brand-Cassa, die erste Versicherung des Landes.

Diese Tradition verpflichtet.
Kulturgüter zu sichern, zu bewahren
und im Schadenfall wiederherzustellen
sind wesentliche Aufgaben der
BrandKasse in ihrer mehr
als 220jährigen Geschichte.

Brandkasse, Kölnische Str. 42–46, 3500 Kassel, Tel. 05 61 / 78 89-0

104

Wenn Fachbücher das sind, was Sie brauchen,
wenn Sie dazu noch etwas zum Lesen möchten,
wenn Sie sich dazu in freundlicher und sachkundiger
Atmosphäre bewegen möchten,
dann kommen Sie doch gleich in die

Buchhandlung an der Hochschule
JOACHIM FISCHLEIN KG
Holländischer Platz

Sie finden Bücher folgender Fachgebiete:
* Architektur * Bauingenieurwesen * Botanik *
Maschinenbau * Stadt- und Landschaftsplanung *
Wirtschaftswissenschaften * EDV *
Außerdem haben wir Bücher über handwerkliche
Tradition, Gartenbücher und ganz viele Taschenbücher
Wir sind auch ganz schön schnell im Beschaffen!

Gegen Spitzenleist=
ungen in der Gast=
ronomie

Kumpelnest
3000
tgl. 17–5
☎ 261 69 18
Lützowstraße 23

DOLCE VITA

Eis · Café · Bar

Wilhelmshöher Allee 287 · D-3500 Kassel · 0561 3 80 71

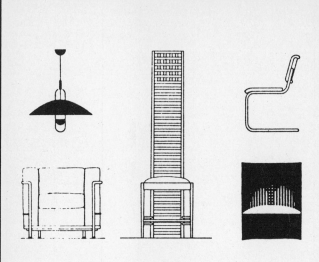

MARKIERUNGEN

DESIGN
HERBERT JAKOB WEINAND
GALERIE
WIELANDSTRASSE 37
D-1000 BERLIN 12
TEL 030/ 3248984

Galerie Martin Schmitz, Kassel

Pferdemarkt 1A, D-3500 Kassel, 0561/18292

Wolfgang Müller (Die Tödliche Doris), Louvre Boutique (Ogar Grafe & Oliver Koerner v. Gustorf), Susi Pop *Februar*, Andreas Brandolini *März*, Ueli Etter *April*, Nikolaus Utermöhlen (Die Tödliche Doris) *Mai*, Moritz 'Rrr' Reichelt *Juni*, Käthe Kruse (Die Tödliche Doris) *Oktober*, Tabea Blumenschein *November*, Heinz Emigholz *Dezember*.